$19.95

FULL CIRCLE: First Contact

Vikings and Skraelings in Newfoundland and Labrador

LE GRAND CERCLE : Premier Contact

Les Vikings et les Skraelings à Terre-Neuve et au Labrador

Sous la direction de
Kevin E. McAleese, Editor
Newfoundland Museum • St. John's

For their support – which provided the foundation on which to build
the FULL CIRCLE: First Contact exhibit and thus this book –
we thank our partners: the Government of Newfoundland and Labrador,
the Government of Canada, the Canada Millennium Partnership Program,
and the Nordic Council of Ministers.

FULL CIRCLE: First Contact
Kevin McAleese, ed.

ISBN: 0-9691590-5-6

Published by Newfoundland Museum/Government of Newfoundland and Labrador
P.O. Box 8700
St. John's, NF
A1B 4J6 Canada

Managing Editor:	Sandy Newton
Design:	Monique Maynard
Editing:	Kevin McAleese, Colleen Shea, Suzanne Rajotte
Maps:	Camus Productions Inc., Monique Maynard
Illustrations & photos:	As credited in text
Printing:	Dicks and Company Limited
Exhibit Design:	Camus Productions Inc.

On the cover: Exhibit artifacts representing the people who closed the circle of human migration c. 1000 AD. Clockwise from far right: Viking Thor's Hammer pendant (p. 12), Proto-historic Mi'kmaq barbed bone point (p. 50), Recent Indian Ramah chert point (p. 23), Dorset Palaeoeskimo harpoon head/socket (p. 14), Thule Inuit ivory needle case (p. 56).

Editor's Notes:
1. To enrich its scholarly content, a few artifacts not included in the exhibit appear in this book.
2. No Aboriginal artifacts from grave sites were knowingly included in the exhibit, out of respect for Aboriginal spirituality.

FULL CIRCLE: First Contact is a travelling exhibit of the Newfoundland Museum. It was supported by the Government of Canada through the Canada Travelling Exhibitions Indemnification Program and the Museums Assistance Program, Department of Canadian Heritage. This translation is possible through the French Services Unit's coordination, and funds from the General Agreement Canada/Newfoundland and Labrador on the Promotion of Official Languages.

Pour leur soutien, qui a jeté les bases sur lesquelles ont été édifiées l'exposition
LE GRAND CERCLE : Premier Contact et le présent catalogue, nous voulons
remercier nos partenaires : le Gouvernement de Terre-Neuve et du Labrador,
le Gouvernement du Canada, le Programme des partenariats du millénaire du
Canada et le Conseil des ministres des pays nordiques.

LE GRAND CERCLE : Premier Contact
Sous la direction de Kevin McAleese

ISBN: 0-9691590-5-6

Publié par Newfoundland Museum/Gouvernement de Terre-Neuve et du Labrador
C.P. 8700
St. John's, T.-N.
A1B 4J6 Canada

Rédactrice administrative :	Sandy Newton
Conception :	Monique Maynard
Révision :	Kevin McAleese, Colleen Shea, Suzanne Rajotte
Cartes :	Camus Productions Inc., Monique Maynard
Illustrations & photos :	Tel qu'indiqué dans le texte
Impression :	Dicks and Company Limited
Conception de l'exposition :	Camus Productions Inc.

En page couverture : Artefacts de l'exposition représentant les personnes qui ont fermé la boucle de migration de l'humanité, vers l'an 1000. (À partir de l'extrême droite, dans l'ordre habituel : Pendentif viking en forme de marteau de Thor (p. 12); pointe barbelée en os des Mi'kmaqs protohistoriques (p. 50); pointe de silex de Ramah des Indiens récents (p. 23); tête/douille de harpon des Paléoesquimaux de la culture du Dorset (p. 14); étui à aiguilles en ivoire des Inuit du Thulé (p. 56).

Notes de la rédaction :
1. Pour enrichir le contenu scientifique du catalogue, nous avons inclus des illustrations d'artefacts qui ne faisaient pas partie de l'exposition.
2. À notre connaissance, aucun artefact prélevé dans une sépulture ne faisait partie de l'exposition, par respect pour les valeurs spirituelles des Autochtones.

LE GRAND CERCLE : Premier Contact est une exposition itinérante du Newfoundland Museum. Elle a reçu le soutien du Gouvernement du Canada par l'entremise du Programme d'indemnisation pour les expositions itinérantes au Canada et du Programme d'aide aux musées, Patrimoine canadien. Cette traduction est possible grâce à la coordination du Bureau des services en français et au financement de l'Entente cadre Canada/Terre-Neuve et le Labrador sur la promotion des langues officielles.

Contents Table des matières

Whalebone mattock, northern Labrador, c. 1500 AD.
Pioche, nord du Labrador, vers 1500.
Courtesy of/Grâce à Newfoundland Museum
PHOTO: Ned Pratt

Silver Viking pendant of a woman (replica),
Sweden, c. 920 AD.
Courtesy of Museum of National Antiquities, Sweden
Pendentif d'argent en forme de femme Viking (réplique),
Suède, vers 920.
Grâce à Statens Historiska Museum, Suède

Acknowledgements

For their support – which provided the foundation on which to build the FULL CIRCLE: First Contact exhibit and thus this book – we thank our partners: the Government of Newfoundland and Labrador, the Government of Canada, the Canada Millennium Partnership Program, and the Nordic Council of Ministers. We also appreciatively acknowledge the generosity of our corporate sponsors, Petro-Canada, NewTel, Newfoundland Power, Dominion, and JVC Canada, and the support of Vikings! 1000 Years, the Department of Tourism, Culture and Recreation, the Viking Trail Tourism Association, and Parks Canada.

The following institutions and individuals assisted greatly in the development of both the exhibit and the publication: Nationalmuseet, National Museum of Denmark; Greenland National Museum and Archives; Þjóðminjasafn Íslands, National Museum of Iceland; Statens Historiska Museum, The Museum of National Antiquities, Sweden; Bergen Museum, University of Bergen, Norway; Tromsø Museum, Norway; UNESCO; Carnegie Museum of Natural History, USA; the National Museum of Natural History, Smithsonian Institution (with particular thanks to William Fitzhugh, Elisabeth Ward, and Stephen Loring); Peary-MacMillan Arctic Museum, Bowdoin College; Parks Canada, Department of Canadian Heritage; Musée canadien des civilisations/ Canadian Museum of Civilization (with particular thanks to David Keenleyside and Patricia Sutherland); Canadian Conservation Institute; Royal Ontario Museum; Archaeological Collections of the Quebec Department of Culture and Communications; Heritage Branch, New Brunswick Department of Economic Development, Tourism and Culture; Archaeology Unit, Memorial University of Newfoundland; the Decker family, the Pittman family, and David Lough.

The curatorial contributors were extremely forthcoming with information for, and input to, the book. Our sincere thanks to them all: Patricia Allen, Gwynne Dyer, Ralph Pastore, Priscilla Renouf, Peter Schledermann, and Birgitta Linderoth Wallace, and to curatorial advisors Lilja Árnadóttir, Jette Arneborg, Joel Berglund, Sigrid Kaland, Anne Marceau, and Carin Orrling. We would also like to note, and thank, the FULL CIRCLE: First Contact exhibit team and Project Manager Dena Simon – for their attention to detail, tireless effort, and insistence on quality.

For permission to publish the artwork he created for the exhibit, we warmly thank William B. Ritchie. For her sensitivity to Gwynne Dyer's text, we thank translator Françoise Enguehard. And for their many editorial, curatorial and conceptual contributions, our thanks to Colleen Shea and Elaine Anton. We are also indebted to Suzanne Rajotte of the French Services Unit (Executive Council, Government of Newfoundland and Labrador) for her timeliness and professionalism, to translator Michel Savard (PWGSC), and to the Mi'kmaq Drummers of Conne River, for their early contributions to the exhibit promotion.

The following generously allowed us to use photographs of their replica artifacts: Det Kongelige Bibliotek, The Royal Library of Denmark; Stofnun Árna Magnússonar á Íslandi, Árni Magnússon Institute, Iceland; and Parks Canada. The exhibit was supported by the Government of Canada through the Canada Travelling Exhibitions Indemnification Program and the Museums Assistance Program.

With the help of these and many other people and institutions, we have striven to create an exhibit – and a book – that honours the lives and cultures of those who have come before us in an immense and beautiful place. We acknowledge them, and the land and wildlife that nourished them.

Iron buckle, Sweden, c. 920 AD.
Courtesy of Museum of National Antiquities, Sweden
Boucle de ceinture en fer Suède, vers 920.
Grâce à Statens Historiska Museum, Suède

Remerciements

Pour leur soutien, qui a jeté les bases sur lesquelles ont été édifiées l'exposition LE GRAND CERCLE : Premier Contact et le présent catalogue, nous voulons remercier nos partenaires : le Gouvernement de Terre-Neuve et du Labrador, le Gouvernement du Canada, le Programme des partenariats du millénaire du Canada et le Conseil des ministres des pays nordiques. Nous voulons aussi exprimer notre gratitude à nos généreux commanditaires Petro-Canada, NewTel, Newfoundland Power, Dominion, et JVC Canada, ainsi qu'au programme du Millénaire Viking, au ministère du Tourisme, de la Culture et des Loisirs, à la Viking Trail Tourism Association et à Parcs Canada.

Les institutions et les personnes suivantes ont grandement contribué à la préparation de l'exposition et du catalogue : le Nationalmuseet, musée national du Danemark; le musée national et les archives du Groenland; Þjóðminjasafn Íslands, musée national d'Islande; le Statens Historiska Museum, musée national d'antiquité de Suède; le musée de Bergen, université de Bergen, Norvège; le musée de Tromsø, Norvège; l'UNESCO; le Carnegie Museum of Natural History, É.-U.; le National Museum of Natural History, Smithsonian Institution (avec des remerciements tout particuliers à William Fitzhugh, Elisabeth Ward et Stephen Loring); le Peary-MacMillan Arctic Museum, Bowdoin College; Parcs Canada, ministère du Patrimoine canadien; le Musée canadien des civilisations (avec des remerciements tout particuliers à David Keenleyside et Patricia Sutherland); l'Institut canadien de conservation; le Musée royal de l'Ontario; les Collections archéologiques du ministère de la Culture et des Communications du Québec; la Direction du patrimoine du ministère du Développement économique, du Tourisme et de la Culture du Nouveau-Brunswick; l'Unité d'archéologie de la Memorial University of Newfoundland; la famille Decker; la famille Pittman; et David Lough.

Les adjoints à la conservation ont été d'une aide fort précieuse pour la rédaction du catalogue, tant au niveau des informations que des conseils. Nos plus sincères remerciements à Patricia Allen, Gwynne Dyer, Ralph Pastore, Priscilla Renouf, Peter Schledermann et Birgitta Linderoth Wallace, ainsi qu'aux conseillers de conservation Lilja Árnadóttir, Jette Arneborg, Joel Berglund, Sigrid Kaland, Anne Marceau et Carin Orrling. Nous voulons aussi témoigner notre reconnaissance à l'équipe de l'exposition LE GRAND CERCLE : Premier Contact, et à la directrice du projet Dena Simon, pour leur souci du détail, leurs efforts soutenus et leur insistance sur la qualité.

Nous remercions chaleureusement William B. Ritchie qui nous a permis de publier les oeuvres artistiques qu'il a créées pour l'exposition. Pour la minutie qu'elle a accordée au texte de Gwynne Dyer, nous remercions aussi la traductrice, Françoise Enguehard. Et pour leurs nombreuses contributions à l'édition, à la conservation et à la conception, nous sommes reconnaissants à Colleen Shea et à Elaine Anton. Nous avons également une dette envers Suzanne Rajotte du Bureau des services en français (Conseil exécutif, Gouvernement de Terre-Neuve et du Labrador) pour la rapidité et le professionnalisme de ses services, envers le traducteur Michel Savard (TPSGC), ainsi qu'envers les tambours Mi'kmaq de Conne River, pour leur contribution à la promotion de l'exposition.

Les personnes et organismes suivants nous ont généreusement autorisés à utiliser des photographies de leurs artefacts : Der Kongelige Bibliotek, bibliothèque royale du Danemark; Stofnun Árna Magnússonar á Íslandi, institut Árni Magnússon, Islande; et Parcs Canada. De plus, l'exposition a été soutenue par le Gouvernement du Canada par l'entremise du Programme d'indemnisation pour les expositions itinérantes du Canada et du Programme d'aide aux musées.

Grâce à ce soutien et à celui de nombreuses autres personnes et institutions, nous nous sommes efforcés de produire une exposition, et un catalogue, digne des vies et des cultures de ceux qui nous ont précédés dans un immense et splendide territoire. Nous leur rendons hommage, à eux et au pays de flore et de faune qui les a nourris.

Introduction

Kevin McAleese

FULL CIRCLE: First Contact, the exhibit, was conceived out of the Newfoundland Museum's desire to mark the turn of the millennium by mounting a significant exhibition. A focus easily suggested itself: no crux could be more natural than the Viking settlement at L'Anse aux Meadows, established on the Northern Peninsula of the Island of Newfoundland a thousand years ago.

It was a remarkable anniversary and, the Museum's curators felt, a good place to start. But we knew that the exhibit also needed to tell the story of the people who were already here when the Norse arrived. We drew on a significant point raised in Robert McGhee's 1993 article about the people the Vikings encountered in the New World — Skraelings, as they called them. McGhee contended that contact between Aboriginal Peoples and the Vikings in North America represented the completion of global human migration, a process that many scholars believe began around 100,000 BC.

And so FULL CIRCLE: First Contact became an exhibit not only about Vikings at L'Anse aux Meadows ten centuries ago, but also about humanity's separation and re-connection in Atlantic Canada and the Arctic, a milestone in human history.

From concept came form. The exhibit took shape as a result of lively curatorial debate about history and science, and their interpretations. Our exhibit designers, Camus Productions Inc., then took the rich exhibit storyline and turned it into an exciting six-part package of wood, glass, light, and sound.

From the exhibit comes this book — a catalogue, with a catalogue's healthy representation of the exhibit components and artifacts, and more. It begins with the script of the exhibit's audio track, which, we hope, recaptures the experience of seeing the exhibit. It is completed by commentary from those who have studied the artifacts and the cultures they represent, essays by the archaeology curators about the Aboriginal and Viking people who made "first contact."

We've included the audio script to allow Gwynne Dyer, our storyteller, and his translator Françoise Enguehard, to continue to guide readers through the exhibit long after it's been dismantled. In two distinctive voices, this text unwinds the fabric of long-gone people and events with the journalist's eye for cause and effect. Dyer's approach also reflects the rich and ancient tradition of storytelling, which was a distinctive part of Viking culture.

In Iceland, Viking oral history was converted into the written word through the Icelandic Sagas. But oral history and storytelling are also key elements of Aboriginal culture. Much of Aboriginal

Avant-propos

Kevin McAleese

LE GRAND CERCLE : Premier contact a eu comme point d'origine la volonté du Newfoundland Museum de marquer le passage au nouveau millénaire par une exposition à la fois prestigieuse et pertinente. Le thème s'est rapidement dégagé : aucun autre événement ne s'imposait avec autant d'évidence que l'établissement, il y a un millénaire, d'une colonie viking à L'Anse aux Meadows, dans la péninsule Northern de l'île de Terre-Neuve.

C'était là un anniversaire remarquable et, de l'avis des conservateurs du musée, un excellent point de départ. D'emblée, nous avons convenu que l'exposition devait aussi raconter l'histoire des peuples qui se trouvaient déjà en Amérique à l'arrivée des Vikings. Nous avons donc élaboré sur la notion développée par Robert McGhee, dans un article publié en 1993, sur les peuples indigènes rencontrés par les Vikings dans le Nouveau Monde, ces gens qu'ils avaient baptisés Skraelings. McGhee a formulé l'idée que le contact entre les Autochtones et les Vikings en Amérique du Nord marquait l'aboutissement d'une vaste migration planétaire de l'humanité, un processus que de nombreux historiens font remonter à quelque 100 000 ans dans le passé.

Et c'est ainsi qu'il a été déterminé que LE GRAND CERCLE : Premier contact ne parlerait pas seulement du passage des Vikings à L'Anse aux Meadows il y a dix siècles, mais aussi de la scission de l'humanité et de sa réunification dans le Canada atlantique et dans l'Arctique comme de jalons capitaux dans l'histoire de l'humanité.

Le concept a engendré la forme. L'exposition s'est développée au gré de discussions animées entre les conservateurs sur l'histoire, la science et les interprétations qu'on en tire. Nos concepteurs, Camus Productions Inc., se sont ensuite laissés inspirer par cette riche histoire pour en tirer le fascinant ensemble en six îlots de bois, de verre, de sons et de lumière qui forme la présente exposition.

Le catalogue que vous tenez entre vos mains, dérivé de l'exposition, présente une large gamme des éléments et des artefacts exposés, et plus encore. Il débute par le texte de la bande sonore de l'exposition qui, nous l'espérons, saura restituer l'expérience d'une visite. Il est complété par les commentaires de ceux qui ont étudié les artefacts et les cultures dont ils sont issus, et par des essais des conservateurs d'archéologie sur les Autochtones et les Vikings qui ont vécu ce « premier contact ».

Nous avons inclus le texte de l'accompagnement sonore pour permettre à Gwynne Dyer, notre conteur, et à Françoise Enguehard, sa traductrice, de continuer à guider les lecteurs à travers l'exposition, même après son démantèlement. Vibrant de leurs voix inimitables,

Bone snow knife, Saglek Bay (Labrador), c. 1500 AD.
Whalebone knives like this were used across the Arctic by the Thule Inuit to cut and shape the blocks of a snowhouse, a late-winter and spring home for Inuit families hunting on the sea ice.
Couteau à neige en os, Baie Saglek (Labrador), vers 1500.
Les Esquimaux Thulé se servaient de ce genre de couteaux en os de baleine pour tailler les blocs de neige dont ils faisaient les igloos où vivaient leurs familles lorsqu'ils chassaient sur la banquise.
Courtesy of/Grâce à Newfoundland Museum
PHOTO: Ned Pratt

oral history and myth from Atlantic and Arctic Canada, however, was not written down until recent historic times. So there are no "Skraeling Sagas," no legends of contact with Vikings, to balance the Icelandic Sagas, much as we might long to compare the way the story was told. For this information, we must turn to those who are trying to reconstruct cultures and history through science.

In 1914, the Newfoundlander W.H. Munn studied the Icelandic Sagas and predicted that a Viking settlement might be found on the tip of the Great Northern Peninsula. Trying to locate Vinland fascinated other amateur and professional scholars, too, including the Norwegian adventurer Helge Ingstad. In 1960, while on an expedition to find Vinland, Ingstad was led to the L'Anse aux Meadows site by area residents, chiefly by George Decker, who referred to the small hillocks and ridges there as "the Indian Mounds." Ingstad believed the site to be Viking, but it was not until 1961, when archaeologist Anne Stine Ingstad, his wife, started excavating and recovering Viking artifacts, that the academic world agreed.

Oral history, written history, and history in the ground — they all contributed important threads to the story the exhibit tells, and to this book. But there is one other influential contributor: the place itself — the land, the sea, the climate of Newfoundland and Labrador. Demanding, harshly beautiful, distinctive and, since the arrival of the first settlers about 8,000 years ago, rich in the natural bounty of a northern marine environment. We have included landscape photography in the exhibit and the book to suggest some of that importance of place.

Rugged, striking, resource-rich — the "homelands" of the Skraelings exerted a giant influence on their lives. The place was also undeniably attractive to the Vikings, who named it after its natural qualities: "Vinland [Wineland] the Good."

Today, that still makes sense. To those who've seen it, and to the people who live here today, it continues to send out its hauntingly alluring call.

ce texte fait revivre personnes et événements d'un lointain passé avec un souci tout journalistique des causes et des effets. L'approche de Dyer reflète aussi la tradition immémoriale du conteur, qui joue un rôle si important dans la culture viking.

En Islande, l'histoire orale des Vikings a été transcrite dans les Sagas islandaises. Et si l'histoire orale et le conte sont aussi des éléments vitaux des cultures autochtones, l'essentiel de cette histoire et des mythes des Autochtones n'ont toutefois été enregistrés par écrit qu'à une époque relativement récente. Il n'existe donc pas de « sagas des Skraelings », pas de récit légendaire de contacts avec les Vikings à mettre en parallèle avec les sagas islandaises pour nous aider à comparer les éclairages. Pour ce type de renseignement, nous devons nous en remettre à ceux qui tentent de reconstituer les cultures et l'histoire au moyen des sciences.

Après avoir étudié les Sagas islandaises, le Terre-Neuvien W.H. Munn avait prédit en 1914 qu'une colonie viking pourrait être découverte à l'extrémité de la péninsule Great Northern. La quête de ce Vinland s'est poursuivie, fascinant divers chercheurs amateurs et professionnels, y compris l'aventurier norvégien Helge Ingstad. En 1960, au cours d'une expédition de recherche du Vinland, Ingstad a été amené à L'Anse aux Meadows par des habitants de la région, et en particulier par George Decker, qui appelait « buttes indiennes » les monticules et les plissements observables à cet endroit. D'emblée, Ingstad a été convaincu que le site était viking, ce qui allait être confirmé en 1961 par la découverte d'artefacts vikings à la suite de fouilles menées par l'archéologue Anne Stine Ingstad, son épouse.

L'histoire orale, l'histoire écrite et l'histoire enfouie dans le sol... Chacune a fourni sa trame essentielle au récit que nous racontent l'exposition et le présent livret. Mais nous nous devons de mentionner un autre protagoniste important : le lieu lui-même – le territoire, la mer, le climat de Terre-Neuve et du Labrador. Rude, incomparable, d'une terrible beauté et foisonnant des richesses de l'environnement marin boréal qui y attirent des humains depuis quelque 8 000 ans. C'est pour mettre en relief cette importance du lieu que nous avons inclus des photos de paysages dans l'exposition et dans le catalogue.

Tourmentée, inoubliable et généreuse, la patrie des Skraelings aura certainement conditionné toute leur existence. Le même territoire aura aussi exercé une grande attirance sur les Vikings, qui l'ont baptisé « Vinland (terre du vin) la Bonne ».

Il n'y a là rien d'étonnant. Pour ceux qui l'ont visité, comme pour ceux qui y vivent encore aujourd'hui, ce territoire continue d'exercer son singulier envoûtement.

Cloak pin, L'Anse aux Meadows, c. 1000 AD.
This pin would have fastened a Viking man's cloak on his shoulder, allowing him to freely swing a sword or axe.
Courtesy of Parks Canada
Épingle de cape, L'Anse aux Meadows, vers l'an 1000.
Cette épingle aura servi à attacher une cape de Viking; portée à l'épaule, lui permettant de manier la lance ou la hache sans obstruction.
Grâce à Parcs Canada
PHOTO: Shane Kelly

FULL CIRCLE: First Contact

LE GRAND CERCLE : Premier contact

Gwynne Dyer

Out of Africa

Racines africaines

Out of Africa

Racines africaines

Our home is Africa. Modern human beings evolved in Africa, and until 5,000 generations ago that's where all our ancestors lived. But then some of them left Africa and found the world at their feet.

We suspect from DNA studies that not all that many people left Africa in the first wave: perhaps only a couple of thousand. But human beings were the best hunters on the planet, and in the new lands the game had never seen people before, so hunting was easy and food was plentiful. The population soared, and soon, some people were pushing on again.

Our ancestors left Africa between 100,000 and 120,000 years ago. Coming up out of the Middle East, some of them turned left into Europe, and others turned right into the farther reaches of Asia. Their descendants would not meet again until 100,000 years later, at the Strait of Belle Isle.

These human beings were so adaptable that they could live in almost any environment — they'd even wear clothes if they had to. So they filled up all of Europe and mainland Asia that wasn't buried under the glaciers. They paddled dugouts across to Australia. By 15,000 years ago they had even crossed the Pacific by the land bridge from Siberia to Alaska and begun filling up the Americas. It is a remarkable success story — but every time that one group turned left and another turned right, they lost touch forever.

It became a world of almost infinite diversity. The human race was divided into 10,000 or 20,000 bands, few with more than a thousand people, but each with its own language and customs and ways of adapting to the local environment. It was a world of great isolation, too.

"Wolverine Creates the World"
In this Innu origin myth, Wolverine forces dirt out of Muskrat's mouth and makes the first land in a world largely covered in water.
« Création du monde par le carcajou »
Selon ce mythe de la création innu, le carcajou a arraché de la terre de la bouche du rat musqué et a créé le premier continent dans un univers essentiellement couvert d'eau.
ARTIST/ARTISTE: W.B. Ritchie

Disc tool, Egypt,
c. 98,000 BC
Outil discoïde, Égypte,
vers 98 000 avant J.-C.
12.6 x 13 x 3 cm
Courtesy of/Grâce à Carnegie Museum of National History
PHOTO CREDIT: Ned Pratt

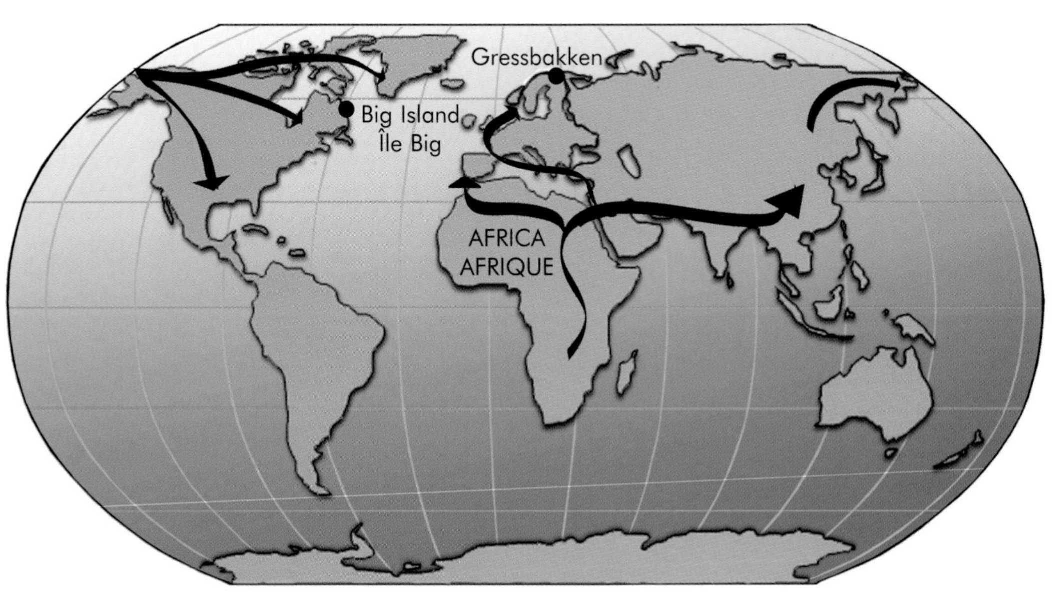

Nous venons tous d'Afrique. C'est là que l'être humain moderne a évolué. Il y a cinq mille générations de cela, tous nos ancêtres vivaient en Afrique; peu après certains d'entre eux ont pris la route et ont découvert le vaste monde.

Des études d'A.D.N. indiquent qu'un petit nombre d'entre eux sont partis les premiers, peut-être quelques milliers de personnes seulement. Mais comme les hommes étaient les meilleurs chasseurs de la planète et que dans ces nouveaux territoires le gibier n'avait jamais vu d'humains, la chasse était aisée et la nourriture abondante. La population s'accrut rapidement et certains reprirent la route.

Nos ancêtres ont quitté l'Afrique il y a environ cent ou cent vingt mille ans.

Individuals didn't normally travel far beyond their own band's territory, and people had only limited knowledge of the world beyond their own region. But there was also a great underlying uniformity: all the people of the earth were hunter-gatherers who made their living in the same basic way.

When the glaciers finally retreated in Europe and North America 10,000 years ago, the peoples who pushed into the newly uncovered lands of Scandinavia and northeastern Canada spoke very different languages. It was so long since their ancestors parted company coming out of Africa that they even looked different. The bands moving into Labrador were descended from people who had circled three-quarters of the globe to get there. But they still lived almost exactly the same way as the bands moving into Scandinavia at the same time.

Less than 6,000 years ago, there were still no big differences in technology, population density, or lifestyle between Stone Age Norwegians and the Maritime Archaic Indians who lived along the Strait of Belle Isle — and neither lot had any idea that there were other human beings on the far side of the Atlantic. It was the one uncrossable barrier in the human world.

En sortant du Moyen-Orient, certains ont tourné à gauche et se sont dirigés vers l'Europe, d'autres ont pris à droite pour aller jusqu'aux confins de l'Asie. Leurs descendants n'allaient se retrouver que cent mille ans plus tard dans le détroit de Belle-Île.

Les humains d'alors pouvaient s'adapter à tout, vivre presque partout - ils pouvaient même porter des vêtements s'il le fallait. Ils ont donc occupé toutes les régions d'Europe et du continent asiatique qui étaient libres de glace. En troncs d'arbre évidés ils ont pagayé jusqu'en Australie. Il y a quinze mille ans ils avaient même déjà traversé le Pacifique par le pont terrestre entre la Sibérie et l'Alaska, et commencé à occuper les Amériques. Remarquable exploit, sans aucun doute, pourtant, à chaque fois qu'un groupe tournait à gauche et un autre à droite, le contact était perdu pour toujours.

Le monde se mit à refléter une diversité presque infinie. La race humaine était alors répartie en dix ou vingt mille tribus, d'un millier de personnes au plus, chacune avec sa

Top: Maritime Archaic soapstone carving, northern Labrador, c. 3000 BC.
En haut : Sculpture en saponite des maritimes archaïques, nord du Labrador, vers 3000 avant J.-C.
Courtesy of/Grâce à Newfoundland Museum
PHOTO: Ned Pratt

Palaeolithic hand axe, Egypt, c. 98,000 BC.
Coup de poing, Égypte, vers 98 000 avant J.-C.
18.6 x 7.4 cm
Courtesy of/Grâce à Carnegie Museum of Natural History

Maritime Archaic hunter.
Courtesy of Government of Newfoundland & Labrador
Chasseur archaïque maritime.
Grâce au Gouvernement de Terre-Neuve et du Labrador
ARTIST/ARTISTE: W.B. Ritchie
PHOTO: Ned Pratt

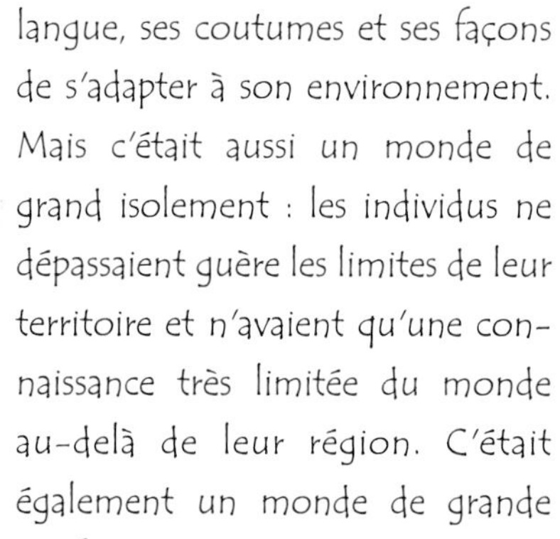

This is the story of how some people finally crossed the Atlantic gap, and how the descendants of the People Who Turned Left met the descendants of the People Who Turned Right after 100,000 years of separation.

It happened in the Strait of Belle Isle 1,000 years ago, and for better or worse it began the process by which we have re-connected all the scattered parts of the human race. Globalization began here.

langue, ses coutumes et ses façons de s'adapter à son environnement. Mais c'était aussi un monde de grand isolement : les individus ne dépassaient guère les limites de leur territoire et n'avaient qu'une connaissance très limitée du monde au-delà de leur région. C'était également un monde de grande uniformité puisque tous les humains vivaient de la chasse et de la cueillette et survivaient, à peu de choses près, de la même manière.

Quand les glaces se retirèrent finalement d'Europe et d'Amérique du Nord, il y a dix mille ans, les peuples qui partirent occuper les terres inconnues de Scandinavie et du nord-est canadien parlaient des langues bien différentes. Cela faisait même tellement longtemps que leurs ancêtres s'étaient séparés aux portes de l'Afrique qu'ils ne se ressemblaient même plus. Les tribus qui s'installèrent au Labrador étaient les descendants de gens qui avaient traversé les trois quart de la planète pour se rendre jusque-là, mais ils vivaient encore presque exactement comme les tribus qui, au même moment, commençaient à occuper la Scandinavie.

Il y a moins de six mille ans, les Norvégiens de l'âge de pierre et les Indiens maritimes archaïques qui vivaient le long du détroit de Belle-Île disposaient de la même technologie, leur densité de population et leurs façons de vivre étaient identiques. Les deux groupes ignoraient totalement qu'il y avait du monde de l'autre côté de l'océan Atlantique – barrière infranchissable de l'humanité à cette époque.

Notre histoire raconte comment quelques personnes ont finalement franchi cette barrière et comment les descendants de ceux qui avaient tourné à gauche ont rencontré les descendants de ceux qui avaient pris à droite – tout cela après cent mille années de séparation.

L'histoire se déroule dans le détroit de Belle-Île, il y a mille ans. Pour le meilleur et pour le pire c'est là que débute le processus de réunification de tous les fragments de la race humaine. La globalisation commence ici.

Far right: Maritime Archaic site, Big Island (Labrador).
À l'extrême droite: Site archaïque maritime, Île Big (Labrador).
Courtesy of/Grâce à Newfoundland Museum
PHOTO: Callum Thomson

Maritime Archaic Ramah chert biface, Nulliak (Labrador), c. 3000 BC.
Ramah chert occurs only in northern Labrador. An important trade item, it has been found in sites from the High Arctic to Maine.
Biface en silex de Ramah des maritimes archaïques, Nulliak (Labrador), vers 3000 avant J.-C.
Le silex de Ramah extrait uniquement dans le nord du Labrador. L'objet d'un commerce considérable, on en a retrouvé depuis l'Arctique jusque dans le Maine.
Courtesy of/Grâce à Newfoundland Museum
PHOTO: Ned Pratt

Old Stone Age bone comb, Gressbakken (Norway), c. 2000 BC.
Such combs suggest that ancient peoples took pride in their personal appearance.
Courtesy of Tromsø Museum, Norway
Peigne en os de l'âge de pierre, Gressbakken (Norvège), vers 2000 avant J.-C.
Des peignes comme celui-ci laissent supposer que les peuples anciens prenaient soin de leur apparence personnelle.
Grâce au Musée de Tromsø, Norvège

Right: Old Stone Age site, Gressbakken (Norway).
À droite : Site paléolithique, Gressbakken (Norvège).
Courtesy of/Grâce à Bryan Hood

Port au Choix, Newfoundland/Terre-Neuve
PHOTO: Kevin McAleese

Crossing the Gap

La grande traversée

Crossing the Gap La grande traversée

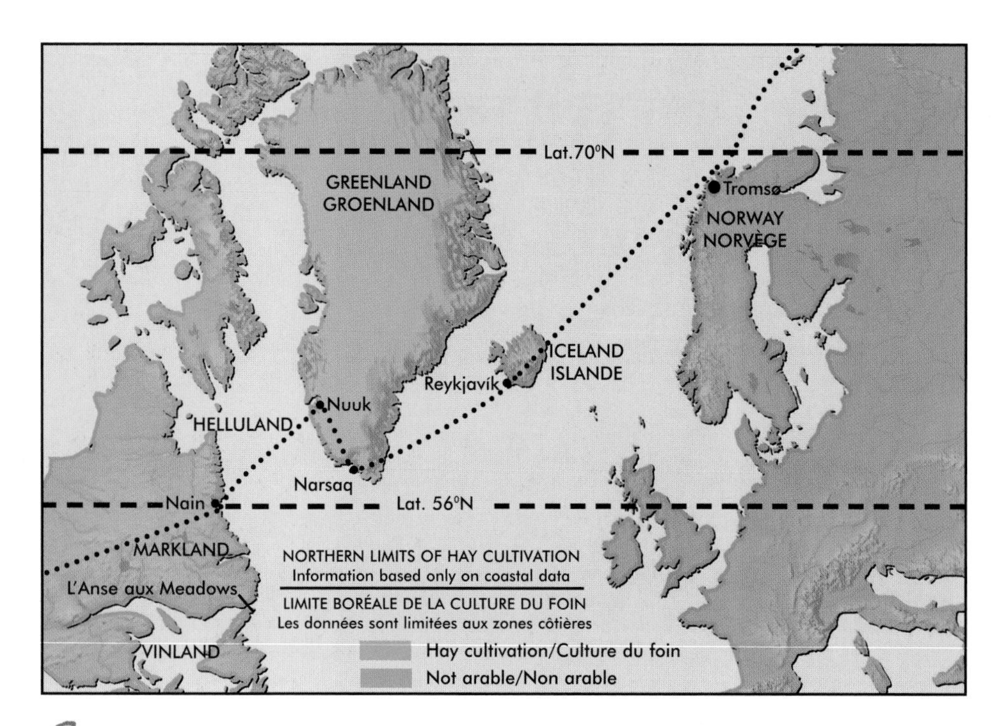

Six thousand years ago the Indians of Labrador and the people in Norway who later became the Vikings lived the same way. By one thousand years ago the lives of the Norsemen had changed so much that they were colonizing mid-ocean islands and gradually crossing the Atlantic gap. And why were they crossing the ocean? Because they had become farmers.

They had probably got the idea of growing crops and herding animals from farmers further south in Europe, and they had to adapt it to Norway's poorer land and harsher climate. The style of living they developed is called crofting: growing some vegetables, catching some fish, keeping sheep for wool and meat, raising cattle for milk and meat, and growing enough hay to see the animals through the winter.

But even crofting gave the Norse so much more food that by 1,000 years ago they were living at far higher population densities

Il y a six mille ans les Indiens du Labrador et les peuples de Norvège – qui deviendraient un jour les Vikings – vivaient de la même manière. Par contre, il y a mille ans, la vie des Norses avaient déjà tellement changée qu'ils étaient en train de coloniser des îles au beau milieu de l'océan et, petit à petit, de franchir le gouffre atlantique. Mais pourquoi donc traversaient-ils l'océan? Parce qu'ils étaient devenus fermiers.

Il est probable que l'idée de cultiver la terre et d'élever des animaux leur était venue de fermiers vivant plus au sud de l'Europe, une idée qu'ils adaptèrent au climat plus rude et au terrain plus pauvre de la Norvège. Ils développèrent un style de vie basé sur la culture de certains légumes, un peu de pêche, l'élevage du mouton pour la laine et la viande, du bétail pour le lait et la viande et la culture d'assez de fourrage pour nourrir les bêtes l'hiver.

Cette façon de vivre leur procura une telle abondance de nourriture que la densité de leur population, il y a mille ans, était déjà bien plus élevée que celle des habitants de Terre-Neuve et du Labrador – de vingt à trente fois plus élevée. Ils disposaient d'assez de biens et de travailleurs pour construire de grands navires, assez solides pour affronter l'océan, et leur appétit insatiable de nouveaux territoires les poussa encore plus loin.

Les Norses se mirent donc

Silver Thor's Hammer pendant (replica), Sweden, c. 920 AD.
Courtesy of Museum of National Antiquities, Sweden
Pendentif d'argent en forme de marteau de Thor (réplique), Suède, vers 920.
Grâce à Statens Historiska Museum, Suède

Bronze disk brooch, Sweden, c. 1000 AD.
Courtesy of the Royal Ontario Museum, ©ROM
Broche de bronze discoïdale, Suède, vers l'an 1000.
Grâce au Musée royal de l'Ontario, ©ROM

Silver warrior figure pendant (replica), Birka (Sweden), c. 800 AD.
Wearing a long tunic, a horned headdress, and holding a sword and spear, this mythical figure reflects a culture experienced in warfare.
Courtesy of Museum of National Antiquities, Sweden
Pendentif d'argent en forme de guerrier (réplique), Birka (Suède), vers 800.
Vêtue d'une tunique longue et d'un casque à cornes, cette figure mythique brandissant l'épée et la lance témoigne d'une culture guerrière bien établie.
Grâce à Statens Historiska Museum, Suède

than the people in Newfoundland and Labrador — 20 or 30 times as high. They had the material wealth and the people to do things like build big ocean-going ships, and their constant hunger for more land pushed them to go looking for it.

So the Norse were already island-hopping across the top of the Atlantic: to the Faeroes in 800, to Iceland in 875, and to Greenland in 985. And everywhere they settled, they brought their whole way of life with them. You can think of it as a sort of interplanetary colonization for beginners: their settlement ships had to carry seeds and cattle and everything else necessary to build new Norways in lands that were empty of human beings. And they had no idea that the lands ahead of them were not empty.

In the Strait of Belle Isle, by contrast, the people still lived as everybody's ancestors used to. Groups of

à sauter d'île en île dans l'Atlantique nord : aux îles Féroé en 800, en Islande en 875 et au Groenland en 985. Partout où ils s'installaient ils apportaient leur façon de vivre – un peu comme une sorte de colonisation interplanétaire; leurs navires transportaient graines, bétail et tout le nécessaire pour construire de nouvelles norvèges sur des terres inhabitées. Les Norses ignoraient totalement que les terres devant eux étaient loin d'être vides.

Par contraste, dans le détroit de Belle-Île, les gens vivaient encore à la manière de nos ancêtres à tous. Des groupes d'à peine quelques familles chassaient le gibier au fil des saisons. Une fois par an – souvent durant la chasse aux phoques – la tribu au complet se retrouvait dans un campement plus vaste où la nourriture était abondante, pour festoyer et arranger les mariages.

Comme tous les grands carnivores, ces gens qui vivaient de la chasse et de la cueillette étaient éparpillés sur un très large territoire; ils n'étaient probablement pas plus de dix mille âmes dans tout Terre-Neuve et le Labrador – trois quart

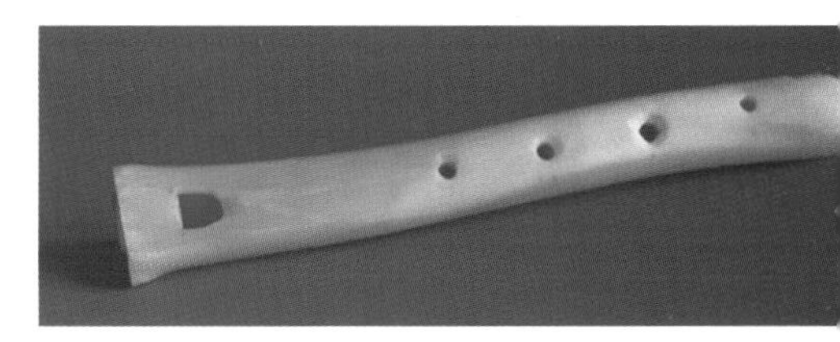

Bone flute (replica), Norway, c. 950 AD.
Courtesy of Bergen Museum, University of Bergen, Norway
Flûte en os (réplique), Norvège, vers 950.
Grâce au Musée de Bergen, université de Bergen, Norvège
PHOTO: M. Vabø

Bronze horse bit, Iceland, c. 950 AD.
Courtesy of National Museum of Iceland
Mors en bronze, Islande, vers 950.
Grâce à Þjóðminjasafn Íslands, musée national d'Islande
PHOTO: Ivar Brynjólfsson

Whalebone smoothing board, Norway, c. 900 AD.
Wealthy Viking women used decorative boards like this to smooth linen. Round glass objects pressed moistened cloth against the board, to smooth wrinkles before sewing.
Courtesy of Bergen Museum, University of Bergen, Norway
Planche à repasser en os de baleine, Norvège, vers 900.
Les femmes vikings bien nanties repassaient le lin sur des planches comme celle-ci. Elles se servaient d'objets de verre arrondis pour lisser le tissu humide contre la planche afin de le défroisser avant de le coudre.
Grâce au Musée de Bergen, université de Bergen, Norvège
PHOTO: Peter Harholdt

Cargo list, c. 900 AD.
To settle unknown lands, the Vikings had to pack cargo essential to their survival. Viking ships arriving at L'Anse aux Meadows unloaded these important supplies and replaced them with the resources of Vinland.
Liste de cargaison, vers 900.
Pour coloniser des territoires inconnus, les Vikings devaient s'assurer qu'ils disposaient de tout le matériel de survie nécessaire. Arrivés à L'Anse aux Meadows, les navires vikings étaient déchargés de ces fournitures essentielles, qui étaient remplacées par les ressources du Vinland.
ARTIST/ARTISTE: W.B. Ritchie
PHOTO: Ned Pratt

only a couple of families would follow the game through the seasons, and once a year the whole band would come together in a bigger camp in some place where the food was plentiful — often during the seal hunt — for feasting and match-making.

Like large carnivores anywhere, these hunter-gatherers were scattered thinly across their territory. There were probably fewer than 10,000 people in all of Newfoundland and Labrador, about three-quarters of them Indians, the other quarter Dorset Palaeoeskimos. And the places where they spent most of their time would often seem horribly barren to our eyes, but then, hunter-gatherers see land differently from the descendants of a hundred generations of farmers. To them, a field of waving grain is a nutritional desert; a barren, windswept headland with thousands of seals on the ice offshore is somewhere close to paradise.

Both styles of living work just fine, but only one of them gives you the motive and the means to cross the Atlantic. That's why the Norse were coming to the Skraelings, as they would call the native North Americans, rather than the other way round.

When Europeans crossed the Atlantic and closed the circle, it began a millennium of huge changes that have utterly transformed the world. Understanding why things happened as they did is like peeling the layers off an onion — and the first question to ask is why the Vikings of Scandinavia became farmers, rich and numerous enough to build ocean-going ships, while the Skraelings of Newfoundland and Labrador stayed hunter-gatherers. The answer has mostly to do with the climate.

In the Northern latitudes, the rule of thumb is that the climate is always better on the western side of the continent. Prevailing winds are from the west, and coming off the oceans they

Top, far right: Dorset bone harpoon heads and sockets, northern Newfoundland, c. 500 AD.
En haut, à l'extrême droite : Pointes et douilles de harpon en os (dorsétiennes), nord de Terre-Neuve, vers 500.
Courtesy of/Grâce à Newfoundland Museum
PHOTO: Ned Pratt

Above: Recent Indian chert projectile point, eastern Newfoundland, c. 900 AD.
Pointe de projectile en silex des Indiens récents, est de Terre-Neuve, vers 900.
Courtesy of/Grâce à Newfoundland Museum
PHOTO: Ned Pratt

Right: Recent Indian Ramah chert projectile point, northern Labrador, c. 750 AD.
Pointe de projectile en silex de Ramah des Indiens récents, nord du Labrador, vers 750.
Courtesy of/Grâce à Newfoundland Museum
PHOTO: Ned Pratt

d'Indiens et un quart de Paléoesquimaux du Dorset. Les endroits où ils passaient le plus clair de leur temps nous paraîtraient sans doute horriblement dénudés - les gens qui vivent de la chasse et de la cueillette ne voient pas la terre comme les descendants de centaines de générations de fermiers. Pour eux, un champ de céréale n'est qu'un désert nutritionnel tandis qu'une pointe de terre dénudée, balayée par les vents et la vue de milliers de phoques sur la banquise au large ont des allures de paradis.

Ces deux styles de vie sont tout à fait fonctionnels mais un seul offre la motivation et les moyens nécessaires pour traverser l'Atlantique. C'est ainsi que les Norses vinrent à la rencontre des Skraelings - c'est le nom qu'ils donnèrent aux Autochtones d'Amérique du Nord - et non l'inverse.

En traversant l'Atlantique et en fermant le grand cercle, les Européens entamèrent un millénaire de changements considérables qui ont complètement transformé le monde. Pour comprendre ces changements, il faut remonter au tout début - un peu comme si on pelait un oignon, pelure après pelure - et se demander pourquoi les Vikings de Scandinavie sont devenus fermiers, et bientôt assez riches et assez nombreux pour construire des navires capables de traverser les océans alors que les Skraelings de Terre-Neuve et du Labrador dépendaient encore de la chasse et de la cueillette? La réponse : Principalement à cause du climat.

Dans les latitudes nordiques la règle de base c'est que le climat est toujours meilleur à l'Ouest d'un continent. Les vents dominants soufflent de l'Ouest et lorsqu'ils viennent de la mer ils apportent un air chaud et humide sur le côté occidental; en Colombie-Britannique on fait pousser du blé à la même latitude que l'extrémité nord du Labrador. Sur la côte Est il faut descendre cinq cents kilomètres plus au Sud pour faire pousser du fourrage et mille kilomètres pour pouvoir faire pousser du blé.

C'est la même chose en Europe : en Suède on peut faire pousser du blé à la latitude du nord du Labrador. L'effet s'étend même assez avant dans l'Atlantique pour qu'on puisse faire pousser du fourrage en Islande qui est pourtant tout aussi au Nord que l'île de Baffin. Mais plus on va vers l'Ouest à la même latitude et plus le climat se refroidit ... jusqu'à ce que, finalement, on arrive à Terre-Neuve et au Labrador.

bring warm, moist air to the lucky western end of the continent: in British Columbia, they grow wheat at the same latitude as the northern tip of Labrador. On the east coast, you have to go 250 kilometres further south even to grow hay, and over 500 kilometres south to grow wheat.

It's the same story on the west coast of Europe: you can also grow wheat in Sweden at the same latitude as northern Labrador. The effect extends far enough out into the Atlantic that you can at least grow hay even in Iceland, which is as far north as Baffin Island. But keep going west along the same latitude and the climate gets colder and colder ... until, finally, you reach Newfoundland and Labrador.

This explains why 20 million Scandinavians can live at latitudes north of Goose Bay today. It also explains why even 1,000 years ago there were at least a million farmers in Scandinavia, but fewer than 10,000 hunter-gatherers in Newfoundland and Labrador. There were lots of farmers in the Americas — whole agricultural civilizations flourished in Mexico and even in the Ohio valley — but you just couldn't farm that far north on the east coast of North America. So at the only latitude where island-hopping across the Atlantic was possible, the first crossing was bound to be made from east to west.

That doesn't mean it was easy. The Vikings were helped by the fact that the whole global climate warmed noticeably between 800 and 1300, but they were still travelling long distances to settle in places that were pretty marginal for agriculture. Moreover, the distances opened out with each step further west, partly because the islands were further apart, but also because they had to go farther and farther south to find a climate that would allow even their style of farming.

By the time they set up the Greenland colony in 985, the Vikings were a long way out on an increasingly slender branch. The next step was a big one, but the sheer need to find resources for the new colony drove them to take it in less than two decades.

C'est ainsi qu'aujourd'hui vingt millions de Scandinaves peuvent vivre à des latitudes plus nord que Goose Bay et c'est pour cette raison qu'il y a mille ans il y avait environ un million de fermiers en Scandinavie et moins de dix mille personnes vivant de la chasse et de la cueillette à Terre-Neuve et au Labrador. En Amérique il y avait bien sûr beaucoup de fermiers - des civilisations entièrement tournées vers l'agriculture florissaient au Mexique et même dans la vallée de l'Ohio - mais on ne pouvait tout simplement pas être fermier au Nord de la côte Est de l'Amérique du Nord. Il est donc normal qu'à la latitude qui permettait de traverser l'Atlantique d'île en île, l'exploration se soit faite d'Est en Ouest.

Mais ce ne fut pas chose facile. Les Vikings profitèrent du fait qu'entre 800 et 1300 le climat de la planète se réchauffa considérablement, mais il fallait tout de même voyager loin et s'installer dans des endroits où l'agriculture ne pouvait être qu'une activité marginale. Et puis, plus ils allaient vers l'Ouest et plus leurs enjambées devaient être grandes : les îles étaient de plus en plus éloignées les unes des autres et il fallait, en plus, descendre toujours plus au Sud pour réussir à cultiver la terre.

Dorset soapstone embracing couple, northern Labrador, c. 900 AD.
Couple enlacé de la culture de Dorset, saponite, nord du Labrador, vers 900.
1.8 x 1.7 cm
Courtesy of/Grâce à Newfoundland Museum
PHOTO: Ned Pratt

Dorset soapstone figure, northern Labrador, c. 900 AD.
This is one of the few surviving representations of Dorset clothing. The figure appears to be wearing a parka with a high, three-sided collar.
Figurine de la culture de Dorset, saponine, nord du Labrador, vers 900.
Sur cette rare représentation de l'habillement d'un Esquimau de la culture de Dorset, le personnage semble porter un parka au col montant sur trois côtés.
2.8 x 2.3 cm
Courtesy of/Grâce à Newfoundland Museum
PHOTO: Ned Pratt

Northern Labrador landscape (Igloo Island).
Paysage du nord du Labrador (Île Igloo).
PHOTO: W.B. Ritchie

En 985 lorsque les Vikings s'installèrent au Groenland, ils se trouvaient dans une situation bien précaire. L'étape suivante allait être très audacieuse mais comme il leur fallait des ressources supplémentaires, ils allaient devoir se lancer dans l'aventure en moins de deux décennies.

Eric the Red's farmstead, Brattahlid (Qagssiarssuk), in the former Norse Eastern Settlement, Greenland.
Brattahlid (Qagssiarssuk), la ferme d'Éric le Rouge dans l'ancienne colonie orientale des Scandinaves, au Groenland.
PHOTO: Knud Krogh

Viking skating bones (replica), Birka (Sweden), c. 1050 AD.
These "skates," made from cattle bones, were filed smooth on one side and fastened to the feet with leather. A single pole may have helped propel the Viking skater.
Courtesy of Museum of National Antiquities, Sweden
Lames de patins en os viking (réplique), Birka (Suède), vers 1050.
Ces « patins », faits d'os de bétail lissés d'un côté, étaient retenus aux pieds par des lanières de cuir. On croit que le patineur viking se propulsait au moyen d'un bâton.
Grâce à Statens Historiska Museum, Suède

L'Anse aux Meadows National Historic Site, Newfoundland,
Courtesy of Government of Newfoundland and Labrador
Lieu historique national de L'Anse aux Meadows, Terre-Neuve
Grâce au Gouvernement de Terre-Neuve et du Labrador

First Contact

Premier contact

First Contact

Premier contact

Consider the problems of island-hopping across the North Atlantic without a compass in a Viking ship. The only bit of your position that you can measure is your latitude, which you can reckon pretty closely by checking the height of the midday sun or the Pole Star at night. So you try to run straight west or east along a line of latitude — but the only way of guessing how far you've gone along that line is by estimating how fast you're going, which is not that easy at sea.

What's worse, if it's overcast, you can't even check your latitude. And it's overcast in the northern North Atlantic half the time, even in summer.

Steering a straight course without a compass is the same story. If you can see the sun or the stars, you can figure out where due west or due east is pretty easily, and just run along your line of latitude. But as soon as it clouds over, all you can do is try to keep the same course by keeping the bow at the same angle to the wind or the waves — even though you know that the wind and waves frequently shift direction.

It's a method of navigation that leaves a lot to be desired: you can run for days not knowing where you are, and hoping that the clouds will clear before you hit something solid. But at least, coming from Norway to the Faeroes, then to Iceland, and on to Greenland, you just sailed straight west along a line of latitude until you reached the island you wanted, then ran along the coast to your destination.

Vinland, unfortunately, was not due west of Greenland at all. It was more south than west, only 1,000 kilometres away on a beeline, but no Viking sailor was going to risk an

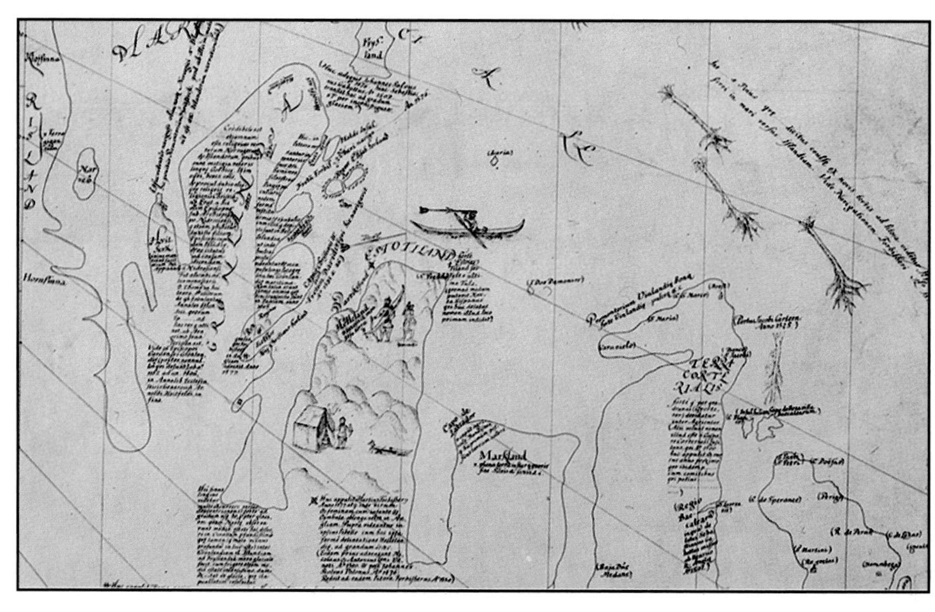

Imaginez le défi : traverser l'Atlantique d'une île à l'autre, sans compas, dans un navire viking. Le seul point de repère c'est la latitude qu'on peut estimer de façon relativement précise en calculant la hauteur du soleil de midi ou de l'étoile polaire la nuit. Il faut donc faire cap vers l'Ouest ou l'Est en suivant une latitude aussi précise que possible et pour estimer le chemin parcouru il faut estimer au mieux sa vitesse ce qui, en mer, n'est pas chose facile.

Pire encore, si le temps est couvert – et dans le nord de l'Atlantique Nord c'est le cas la moitié du temps, même en été – on ne peut même pas déterminer sa latitude.

Pour suivre une route droite sans compas, le problème est le même. En observant le soleil ou les étoiles on peut facilement trouver l'Est ou l'Ouest et suivre une latitude, mais dès que les nuages arrivent, la seule chose à faire c'est de tenir son cap et de garder la proue du navire au même angle par rapport au vent ou aux vagues – même si on sait pertinemment que la direction du vent et des vagues change fréquemment.

Resen map (replica), Denmark, 1885 AD.
Originally drawn in 1605 by Hans Poulsen Resen, this map shows the North Atlantic route to Vinland.
Courtesy of The Royal Library of Denmark
Carte de Resen (réplique), Danemark, 1885.
Dessinée en 1605 par Hans Poulsen Resen, cette carte illustre la route du Vinland par l'Atlantique nord.
Grâce à Der Kongelige Bibliotek, Danemark

Viking knar replica *Islendingur*.
Réplique d'un knarr viking *Islendingur*.
PHOTO: Tony O.R., Iceland

open ocean crossing of that distance on a course that wasn't due east or west. He'd be mad to: the chances of getting permanently lost in the Atlantic or hitting a rocky shore at night would be worse than evens.

On the map, the simplest thing would have been to sail straight west from Greenland to the northern Labrador coast, and then run all the way south within sight of land. In fact, because of the way the currents run, it was easier to sail a long way north up the Greenland coast and then cross over past the southern end of Baffin Island (which they called Helluland). Once they reached Labrador (which they called Markland), they just ran down the coast all the way south to L'Anse aux Meadows in northern Newfoundland, the gateway to Vinland.

It was pretty safe that way, despite all the icebergs, and as far as we know they never lost a ship on the Vinland run. But it did take two or three weeks, on average, which meant that there was practically no time left for exploring further south into Vinland if you wanted to be home in Greenland again before the worst of the autumn storms. And that is why they had to build a base at L'Anse aux Meadows.

Only 20 years after Eric the Red set up his new colony in Greenland, his people created a base 1,000 kilometres away, almost 4,000 kilometres away in terms of actual sailing distances. There were at most 500 or 600 people in the Greenland settlement, and yet they maintained this far-flung outpost of 70 to 90 people in Vinland year-round. Why?

Three reasons.

Timber, wine, and territory.

C'est une façon de naviguer qui laisse beaucoup à désirer : on peut faire route pendant des jours sans savoir où on se trouve, en priant que les nuages se dissipent avant qu'on se retrouve sur les récifs. Au moins de la Norvège aux îles Féroé, de l'Islande au Groenland, il suffisait de garder sa latitude et de faire cap vers l'Ouest jusqu'à l'île voulue puis de suivre la côte pour se rendre à bon port.

Pourtant, Vinland se trouvait à mille kilomètres du Groenland à vol d'oiseau, mais hélas plus au Sud qu'à l'Ouest. Jamais un marin viking n'aurait osé affronter une traversée océanique de cette ampleur sans faire cap plein Est ou plein Ouest. Cela aurait été de la folie pure et simple: les risques de se perdre à jamais dans l'Atlantique ou de se jeter de nuit sur les récifs d'une côte inconnue auraient été trop grands.

En se fiant à une carte on pourrait penser qu'il aurait été plus simple de faire route plein Ouest du Groenland jusqu'à la côte du Labrador puis de descendre vers le Sud en suivant la côte. En fait, à cause de la direction des courants, il était bien plus simple de faire route vers le Nord le long de la côte du Groenland, puis de traverser le long de la pointe sud de l'île de Baffin (que les Vikings appelaient Helluland). Une fois rendu au Labrador (qu'ils appelaient Markland) il suffisait alors de descendre vers le Sud jusqu'à L'Anse aux Meadows, porte d'entrée de Vinland.

Malgré tous les icebergs, c'était le trajet le plus sûr et, d'après ce que nous savons, les Vikings ne perdirent jamais un seul navire durant ces voyages jusqu'à Vinland. Par contre, il fallait compter, en moyenne, deux ou trois semaines de navigation, ce qui veut dire qu'il n'y avait presque plus de temps pour explorer le Sud

Soapstone door post pivot/lamp preform, L'Anse aux Meadows, c. 1000 AD.
Acting as a hinge, this bowl-like pivot could have been set in the ground to hold a door post, allowing the door to swivel open or closed. It may also have been a lamp to burn sea mammal oil.
Pivot de montant de porte en saponite/matrice de lampe, L'Anse aux Meadows, vers l'an 1000.
Ce pivot en forme de bol, enfoncé dans le sol pour recevoir un montant de porte, agissait comme une charnière en pivotant à l'ouverture et à la fermeture de la porte. Il peut aussi avoir servi de lampe où on brûlait de l'huile de mammifères marins.
ARTIST/ARTISTE: W.B. Ritchie

Soapstone spindle whorl, L'Anse aux Meadows, c. 1000 AD.
Shown in use by a Viking re-enactor at L'Anse aux Meadows.
Fusaiole en saponite, L'Anse aux Meadows, vers l'an 1000.
Démonstration par un personnage de Viking au site de L'Anse aux Meadows.
Courtesy of/Grâce à Parks Canada
PHOTO: Shane Kelly

There were small trees in southern Greenland 1,000 years ago, but nothing big enough for house timbers or ship's keels and masts. That sort of wood had to be imported, and if you could get it from Markland and Vinland instead of Norway, you didn't have to pay for it.

Then, wine. In Viking culture, your status heavily depended on impressing both your friends and your enemies by conspicuous displays of wealth and generosity, particularly at banquets — a kind of potlatch phenomenon. Serving wine to your guests, in a part of the world where you could not grow grapes, was the ultimate in one-upmanship. But the Norse explorers did find grapes in several places along the coasts of Vinland.

Now, you wouldn't really want to drink the wine they made from those grapes. It'd make the worst plonk you ever drank taste like a Bordeaux classé. But the Vikings didn't care, since they had no idea what good wine should taste like. They just knew that wine, not your low-class beer or mead, was what quality folk drank.

So Vinland had interesting resources — but it also took a lot of resources. You had to build a permanent base there, and devote two or three ships to the operation full-time.

One or two ships would sail from Greenland to L'Anse aux Meadows and back during the brief sub-Arctic summer, but since the ice only cleared off the Greenland coast in June, those ships had no time to explore southwards from L'Anse aux Meadows if they were going to get home safely before winter. Another ship had to be kept at L'Anse aux Meadows through the winters, so it was ready to sail south exploring as soon as the ice broke up in the Strait of Belle Isle, which could be as early as May.

This was a big investment for a small community: two or three ships and up to 100 people. On the other hand, Vinland's resources were at least as good as Greenland's in terms of fish, game, pastureland, and so on — and on top of that you got timber and wine. Of course it was worth staying there — if you could.

It's true that the Vikings came from a more warlike culture than the Skraelings. That's why they had swords, a short-range weapon almost exclusively for killing people,

Grape vines – *Vitis riparia* – growing in a stand of poplars and butternut trees in the St. John River valley.
Plants de vigne (*Vitis riparia*) dans un peuplement de bouleaux et de noyers cendrés, vallée de la rivière Saint-Jean.
Courtesy of/Grâce à Birgitta Wallace
PHOTO: Kevin Leonard

de Vinland et revenir au Groenland avant le début des pires tempêtes d'automne. C'est pour cette raison qu'il fallut construire une base à L'Anse aux Meadows.

Vingt ans après l'installation d'Éric le Rouge au Groenland, certains membres de sa colonie établissaient donc une base à des milliers de kilomètres de là, près de quatre mille kilomètres en termes de navigation. Au Groenland il n'y avait que cinq à six cents personnes au plus. Pourquoi donc avaient-ils besoin d'un établissement de soixante-dix à quatre-vingt-dix personnes dans un endroit aussi lointain?

Pour trois raisons : le bois, le vin et le territoire. Il y a mille ans, il y avait bien des arbres au Groenland, mais rien d'assez grand pour construire des maisons, former des quilles de navires ou tailler des mâts. Il fallait donc en importer et si on pouvait en trouver à Markland ou à Vinland plutôt qu'en Norvège, ça serait une dépense de moins.

Et puis, il y avait le vin. Dans la culture viking le statut d'un individu dépendait largement de sa capacité à impressionner amis et ennemis en étalant délibérément ses biens et sa générosité, particulièrement lors des banquets – une sorte de phénomène potlach. Servir du vin aux invités, dans un pays où la vigne ne poussait pas, constituait le summum de la supériorité. Et, à n'en pas douter, les explorateurs Norses trouvèrent du raisin dans divers endroits de Vinland.

Bien entendu, ce vin ne vous plairait sans doute pas. Par comparaison, le pire gros rouge que vous ayez jamais goûté prendrait des allures de Bordeaux classé; mais c'était une distinction inconnue des Vikings qui n'avaient jamais goûté de bon vin. Ils savaient seulement que les gens de qualité buvaient du vin, pas de bière ni d'hydromel.

Vinland offrait donc d'intéressantes ressources mais en exigeait beaucoup en retour. Il fallait y construire une base permanente et y affecter à plein temps deux ou trois navires.

Un ou deux navires feraient le voyage aller-retour du Groenland à L'Anse aux Meadows durant le bref été subarctique mais comme la glace ne se retirait de la côte du

and the Skraelings didn't. But the Skraelings certainly knew how to fight, and the fact that the Vikings were more warlike doesn't necessarily mean they were more dangerous to their enemies.

The Vikings looked pretty fierce, but they really had no technological edge at all in military terms. The Skraelings' bows and spears were just as good as theirs, and equally suitable for fighting. Only the leaders of the Vikings would have been rich enough to own metal body armour and helmets. And the crucial thing was that the Skraelings seriously outnumbered the Vikings at the point of contact. Way out in Vinland there were fewer than a hundred Vikings; there were thousands of Skraelings.

It's a pity that the first contact between the descendants of the People Who Turned Left and the People Who Turned Right should have ended in killing, but it's not really surprising. The Vikings were a warrior culture with an inbuilt contempt for non-farming peoples and a major problem with impulse control. But frankly, it might well have ended in fighting no matter who they were, because anybody intruding into another group's traditional lands is likely to run into trouble.

Groenland qu'en juin, ils ne pouvaient pas, à la fois explorer les régions au sud de L'Anse aux Meadows, et rentrer à bon port avant l'hiver. Il fallait donc garder sur place, durant l'hiver, un autre navire prêt à descendre vers le sud dès que le détroit de Belle-île se retrouvait libre de glaces, vers le début mai.

C'était tout un investissement pour une petite communauté : deux ou trois navires et une centaine de personnes. Par contre, les ressources de Vinland se comparaient favorablement à celles du Groenland en matière de poisson, de gibier, de pâturage et autres – avec en plus du bois et du vin. Ça valait la peine d'y rester – bien sûr – dans la mesure du possible, naturellement.

Il est évident que les Vikings avaient une tradition plus guerrière que les Skraelings. La preuve : ils avaient des épées, armes à faible portée presque exclusivement utilisées pour tuer l'ennemi et les Skraelings n'en avaient pas. Mais les Skraelings savaient se battre et les Vikings, peu importe leur allure guerrière, ne formaient pas nécessairement le groupe le plus dangereux des deux.

Si les Vikings avaient l'air féroce, en termes militaires, ils n'avaient aucune supériorité technologique. Les arcs et flèches des Skraelings étaient aussi efficaces que les armes vikings et tout aussi adaptés au combat. Seuls les chefs vikings étaient assez riches pour s'équiper d'armures et de casques. Et puis, détail crucial, les Skraelings étaient beaucoup plus nombreux que les Vikings au moment de cette première rencontre. À Vinland, loin de chez eux, les Vikings étaient moins d'une centaine, contre des milliers de Skraelings.

Il est bien désolant que le premier contact entre les descendants de ceux qui avaient pris à gauche et de ceux qui avaient pris à droite se soit terminé en tuerie. Triste, mais pas surprenant. La culture viking était guerrière et comportait un mépris inné pour les peuples non agricoles ainsi

Iron anvil, Norway, c. 1000 AD.
Courtesy of Bergen Museum,
University of Bergen, Norway
Enclume en fer, Norvège, vers l'an 1000.
Grâce au Musée de Bergen,
université de Bergen, Norvège
PHOTO: M. Vabø

A Viking blacksmith re-enactor
(c. 1000 AD) at L'Anse aux Meadows.
Courtesy of Parks Canada
Personnage représentant un forgeron viking
vers l'an 1000, à L'Anse aux Meadows.
Grâce à Parcs Canada
PHOTO: Shane Kelly

Iron boat rivets, Sweden, c. 1000 AD.
Courtesy of Museum of National
Antiquities, Sweden
Rivets à bateaux en fer, Suède,
vers l'an 1000.
Grâce à Statens Historiska Museum, Suède

Vinland looked practically empty to the Vikings, because it wasn't covered with farmsteads, but in fact there was nowhere they set foot that didn't fall within the customary range of one band or another. All the land was already taken, though not in a way that farmers would recognize. So the relations between the Vikings and the Skraelings, though they were not always hostile, repeatedly toppled into violence. And with each violent incident the mutual suspicions multiplied.

Nobody knows how many little skirmishes there were, but the Sagas tell us of at least two larger clashes. One was probably near the mouth of the Miramichi in what is now New Brunswick, and most likely involved the people who later became the Mi'kmaq. The other was in Markland (Labrador), near Sheshatshiu on Lake Melville, and probably involved people of what archaeologists call the Winter-Cove 4 culture, in all likelihood the ancestors of today's Innu.

The Vikings on this expedition into the heart of Labrador were led by Thorvald Ericson. Seeing some Indians asleep on a beach, they deliberately went ashore from their boat and killed them. Then, just a little late, the cavalry came riding over the hill: a flotilla of boats full of Indians came round the nearest headland firing arrows at them. The Vikings scrambled back on their ship, formed a bank of shields, and fired a volley of arrows back. Both sides then withdrew — but Thorvald took an arrow in the gut that subsequently killed him. And so it goes.

After several expeditions to Vinland over a period of 10 or 15 years, including a number of overwinter stays, the Vikings just gave up

qu'un problème majeur de contrôle de pulsions. Pour être honnête, le combat était sans doute inévitable de toutes façons puisque toute personne envahissant le territoire traditionnel d'un autre groupe, s'expose à de gros risques.

Aux yeux de fermiers comme les Vikings, Vinland était pratiquement vide puisqu'ils n'y voyaient aucune ferme. Pourtant, partout où ils mettaient le pied, ils empiétaient sur le territoire d'une tribu ou d'une autre. La terre était déjà prise, même s'ils ne s'en rendaient pas compte. C'est pour cette raison que les relations, qui ne furent pas toujours hostiles entre Vikings et Skraelings, basculèrent souvent dans la violence. Et chaque incident violent ne faisait que multiplier la méfiance de part et d'autre.

Personne ne sait combien d'affrontements il y eut entre les deux groupes, mais les Sagas en mentionnent au moins deux grands : l'un, sans doute à l'embouchure de la Miramichi, dans ce qui est maintenant le Nouveau-Brunswick, impliquait, pense-t-on, les ancêtres des Mi'kmaq actuels; l'autre à Markland au Labrador, près de Sheshatsiu, sur

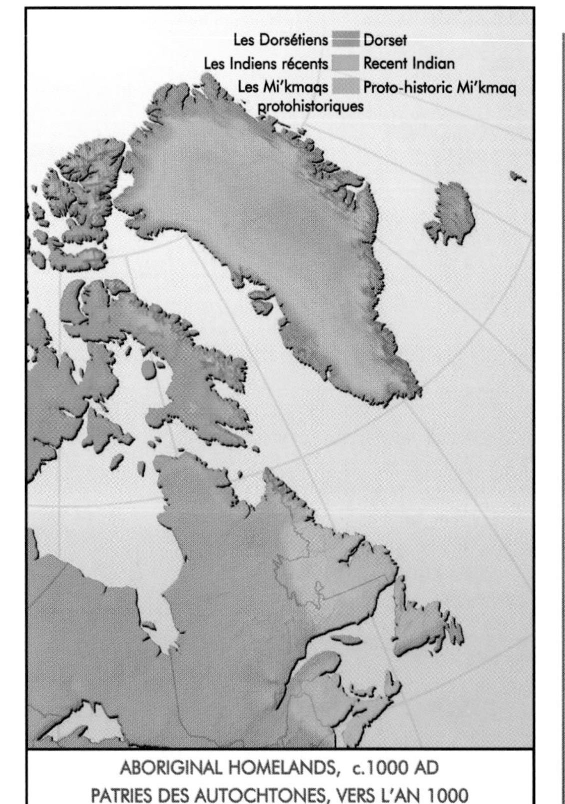

ABORIGINAL HOMELANDS, c.1000 AD
PATRIES DES AUTOCHTONES, VERS L'AN 1000

Norse sword (replica), Snartemo (Norway), c. 600 AD.
According to the Sagas, Vikings carried such swords, which were designed purely for combat, during the Vinland voyages.
Courtesy of Parks Canada
Épée viking (réplique), Snartemo (Norvège), vers 600.
D'après les sagas, les Vikings portaient des épées comme celle-ci, qui étaient conçues expressément pour le combat, durant leurs voyages au Vinland.
Grâce à Parcs Canada
PHOTO: Ned Pratt

Bronze scabbard chape, Iceland, c. 920 AD.
Courtesy of National Museum of Iceland
Bouterolle de fourreau en bronze, Islande, vers 920.
Grâce à Þjóðminjasafn Íslands, musée national d'Islande
PHOTO: Ivar Brynjólfsson

Boat plank (replica), L'Anse aux Meadows, c. 1000 AD.
This wood patch was designed for ship repair. Vessel maintenance, an important L'Anse aux Meadows activity, ensured a seaworthy ship that could make safe voyages to and from Vinland.
Courtesy of Parks Canada
Bordage de bateau (réplique), L'Anse aux Meadows, vers l'an 1000.
Cette pièce de bois a été taillée pour réparer un navire. L'entretien des navires, une facette vitale des activités à L'Anse aux Meadows, était indispensable pour garantir la sécurité des voyages entre le Vinland et le Groenland.
Grâce à Parcs Canada
PHOTO: Ned Pratt

and stopped coming, but it cannot have been an easy decision for them to make. They could and did go on making voyages to Markland to cut timber, but Vinland was such a rich and promising place compared to Greenland ... so why did they abandon it?

The fact that they could not travel down to the Gulf of St. Lawrence, where the grapes were, and get home again in a single season must have counted against the enterprise. That would have mattered a lot less, however, if L'Anse aux Meadows had become a fully self-supporting permanent settlement — and why not? The resources there were at least as rich as in Greenland.

The reasons why not can be summed up as too few Vikings in Greenland, too many Skraelings in Vinland, and too far away.

Even 500 or 1,000 Viking settlers in northern Newfoundland might have controlled enough territory and mustered enough warriors to make their settlements relatively safe; fewer than 100, in only one known location, could not. But they could not boost their numbers in Vinland without robbing Greenland, and at this stage there were only around 500 people in the Greenland colony itself. That was pretty close to the minimum

les bords du lac Melville, impliquait sans doute le peuple que les archéologues appellent la culture Winter Cove 4, probablement les ancêtres des Innu d'aujourd'hui.

Pour cette expédition au cœur du Labrador, les Vikings étaient menés par Thorvald en personne. Ils aperçurent des Indiens endormis sur une grève, décidèrent de quitter leur navire et d'aller les massacrer. Un peu plus tard, arriva la cavalerie lourde : une flottille d'embarcations pleines d'Indiens débouchèrent de derrière une pointe de terre lançant des flèches dans la direction des Vikings. Ces derniers regagnèrent, tant bien que mal, leur navire, firent un barrage de leurs boucliers et se mirent à tirer à leur tour. Au bout d'un moment on battit en retraite des deux côtés - mais Thorvald était blessé, une flèche l'avait atteint à l'estomac. Il en mourut. Ainsi vont les choses.

Après plusieurs expéditions à Vinland durant environ dix ou quinze ans, y compris quelques hivernages, les Vikings abandonnèrent la partie, une décision qui ne fut sans doute pas facile à prendre. Les Vikings pouvaient - ce qu'ils continuèrent à faire - venir à Markland pour y couper du bois, mais Vinland était un site si riche et prometteur comparé au Groenland qu'on peut se demander pourquoi ils décidèrent de l'abandonner.

Un des handicaps de l'entreprise était certainement le fait qu'on ne pouvait pas remonter le golfe du Saint-Laurent où on ramassait le raisin et rentrer à bon port en une seule saison. Le problème aurait été moins sérieux si L'Anse aux Meadows était devenu un établissement permanent et indépendant. Pourquoi donc ne l'est-il pas devenu, alors que ses ressources égalaient au moins celle du Groenland?

Voici la réponse en abrégé : Pas assez de Vikings au Groenland, trop de Skraelings à Vinland et une trop grande distance entre les deux.

Recent Indian chert projectile point, northern Newfoundland, c. 1050 AD.
Pointe de projectile en silex des Indiens récents, nord de Terre-Neuve, vers 1050.
Courtesy of/Grâce à Newfoundland Museum
PHOTO: Ned Pratt

Skirmish at North West River.
Escarmouche à North West River.
ARTIST/ARTISTE: W.B. Ritchie
PHOTO: Ned Pratt

Viking iron spearhead, Iceland, c. 920 AD.
Courtesy of National Museum of Iceland
Pointe de lance en fer viking, Islande, vers 920.
Grâce à Þjóðminjasafn Íslands, musée national d'Islande
PHOTO: Ivar Brynjólfsson

number of people needed to keep Greenland viable.

So in the end the choice for Leif Ericson and his companions was: Greenland or Vinland, but not both. Since abandoning the Greenland colony and moving everybody to Vinland would mean cutting their ties with Iceland and Europe, that was completely out of the question. By their own standards, they did the only sensible thing and left L'Anse aux Meadows forever.

If the Skraelings hadn't fought, the L'Anse aux Meadows base might have remained, and in time it might have grown into a full-scale settlement. First contact had come and gone, and the Indians had saved themselves — for a few centuries.

Un groupe de cinq cents ou mille colons vikings au nord de Terre-Neuve aurait sans doute suffi pour prendre en mains un territoire adéquat et pour en assurer sa sécurité. Pour moins de cent vikings, concentrés en un seul lieu, il s'agissait d'une mission impossible. D'un autre côté on ne pouvait pas affecter plus de gens à Vinland sans déposséder la colonie du Groenland qui elle-même ne dépassait guère les cinq cents âmes – à peu près le strict minimum requis pour assurer sa viabilité.

Au bout du compte, Leif Ericson et ses compagnons eurent un choix à faire : le Groenland ou Vinland, mais pas les deux. Abandonner la colonie du Groenland en faveur de Vinland signifiait aussi couper tout lien avec l'Islande et l'Europe ce qui représentait un geste inconcevable. Les Vikings prirent alors la décision qui s'imposait : celle d'abandonner à jamais L'Anse aux Meadows.

Sans les batailles avec les Skraelings, la base de L'Anse aux Meadows aurait pu demeurer en place et mener éventuellement à un établissement de grande envergure. Le premier contact avait eu lieu, les Indiens avaient obtenu un répit de quelques siècles.

Vikings could be terrifying and efficient warriors, but they were also farmers, merchants, colonists and craftsmen. And some powerful Viking figures were women. Gudrid was described in the Sagas as being intelligent and accomplished. She travelled from her home in Iceland to Greenland, Vinland, Norway and Rome. She owned property and delivered the only Norse child believed to have been born in Vinland. She began life as a pagan and died an ordained nun. Today a quarter million Icelanders count her among their ancestors.
Les Vikings pouvaient certes être des guerriers terrifiants et habiles, mais ils étaient aussi des fermiers, des marchands, des colonisateurs et des artisans. De plus, certains des personnages majeurs chez les Scandinaves étaient des femmes. Ainsi, Gudrid est décrite dans les sagas comme une femme intelligente et accomplie. Depuis sa patrie en Islande, elle a voyagé jusqu'au Groenland, au Vinland, en Norvège et à Rome. Elle possédait des terres et on croit qu'elle a donné naissance au seul enfant scandinave né au Vinland. Convertie au christianisme, elle avait été ordonnée religieuse à sa mort. De nos jours, un quart de million d'Islandais la considèrent au nombre de leurs ancêtres.
ARTIST/ARTISTE: W.B. Ritchie
PHOTO: Ned Pratt

Greenlander's Saga/Flateyjarbók (replica), Reykjavik (Iceland), c. 1400 AD.
Stories from the Viking Age, including the discovery of Vinland, were passed down by word of mouth for hundreds of years. When written down on vellum and bound, they became the Sagas.
Courtesy of Árni Magnússon Institute, Iceland
Saga du Groenlandais/Flateyjarbok (réplique), Reykjavik (Islande), vers 1400.
Durant des siècles, c'est de bouche à oreilles qu'ont été relatées les histoires de l'époque des Vikings, comme celle de la découverte du Vinland. Une fois transcrites sur des parchemins et reliées, ces aventures sont devenues les sagas.
Grâce à l'institut Árni Magnússon, Islande

Red Bay, Labrador
Courtesy of Parks Canada/Grâce à Parcs Canada
PHOTO: Kevin Redmond

Second Contact

Second contact

Second Contact: Greenland and the High Arctic

Around 1250, a Viking expedition sailed all the way up to Smith Sound at the top of Greenland. The only logical reason for them to go there was to contact the highly efficient Inuit hunters who had recently moved into the area from the west, probably with the idea of trading for ivory with them. But it seems likely that the Viking ship got crushed in the ice, for the sheer quantity of Viking artifacts found in the Inuit winter houses on Skraeling Island suggests that the crew never got home again.

In fact, there never was any significant trade between the two cultures, though by the early 1300s the Inuit had moved south and were all along the coast outside the fjords where the Vikings lived, presumably competing with them for seals and caribou. But it wasn't the Inuit who did the Greenland Vikings in.

The global cooling that began around 1300 did most of the damage: by 1350 the pastures in the more northerly Western Settlement could no longer feed the Vikings' animals. The people there ate their dairy cattle and dogs before leaving, which suggests that they were actually starving.

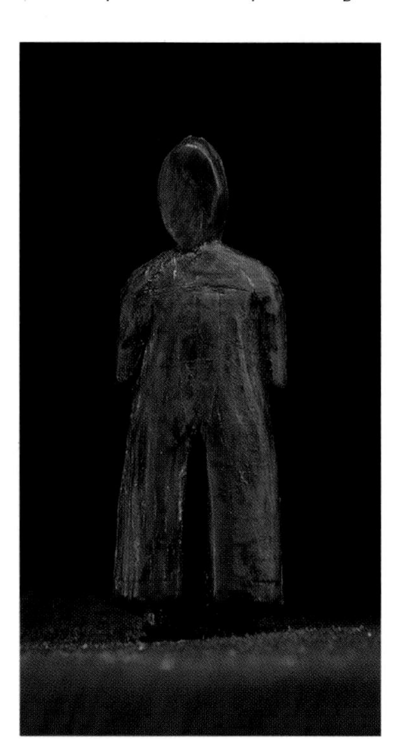

Thule carving of a European (replica), Baffin Island, c. 1200 AD.
Courtesy of © Canadian Museum of Civilization, KeDr-7:325
Figurine sculptée (thulé) d'un Européen (réplique), Île de Baffin, vers 1200.
Grâce au © Musée canadien des civilisations, KeDr-7:325
PHOTO: Ned Pratt

Maybe they made it to the Eastern Settlement, but then came the final blow: the single ship that kept the colony in touch with Europe and carried all its trade ceased to come. Around 1450, the Eastern Settlement was also abandoned, and nobody knows whether the survivors managed to get to Iceland.

So was this failure? Twenty generations of

Second contact: Le Groenland et l'Arctique

Aux alentours de 1250 une expédition viking remonta jusqu'au fond du détroit de Smith, tout en haut du Groenland. Il semble, c'est la seule raison plausible, que le but du voyage était d'entrer en contact avec les remarquables chasseurs Inuit qui étaient récemment venus de l'Ouest et s'étaient installés dans la région. Les Vikings voulaient sans doute se procurer de l'ivoire mais il semble que le navire ait été pris dans les glaces, la quantité considérable d'artefacts vikings retrouvés dans les maisons d'hiver des Inuit sur l'île de Skraeling laisse en effet entendre que l'équipage n'est jamais reparti.

En fait, il n'y a jamais eu de commerce important entre ces deux cultures, même si au début des années 1300, les Inuit descendirent vers le Sud, s'établissant tout le long de la côte, en dehors des fjords occupés par les Vikings et, on peut le supposer, leur faisant concurrence pour la chasse aux phoques et aux caribous. Ceci dit, les Inuit ne sont pas responsables de la disparition des Vikings du Groenland.

Le refroidissement global qui débuta aux alentours de 1300 en est le principal responsable : dès 1350 les pâturages des établissements du nord-ouest ne suffisaient déjà plus à nourrir le bétail. Avant de quitter ces établissements, les Vikings mangèrent leurs chiens et le bétail qui leur procurait le lait, signe qu'ils mouraient de faim.

Il est possible qu'ils aient réussi à atteindre les colonies plus à l'Est, mais peu importe, le pire était à venir : en effet, le navire qui maintenait le contact entre la colonie et l'Europe et qui assurait tout le commerce, ne revint plus. Vers 1450 l'établissement à l'Est fut abandonné à son tour et personne ne sait si les gens qui survécurent réussirent à gagner l'Islande.

S'agissait-il d'un échec? Vingt générations de Vikings vécurent au Groenland durant près de cinq siècles, soit un siècle de plus que l'occupation européenne du Canada. Les Vikings se sont retirés parce qu'ils ne pouvaient plus préserver leur mode de vie basé en partie sur l'agriculture et parce qu'ils ne voulaient pas se résigner à subsister de la chasse et de la cueillette.

Ils étaient têtus, sûrement, mais cela ne signifie pas qu'ils aient eu tort. Au même moment, de l'autre côté du détroit de Davis, sur l'île de Baffin et au Labrador, les Paléoesquimaux du Dorset furent rayés complètement de la carte. Quand le monde change, on s'adapte, on bouge ou on meurt.

Vikings lived and died in Greenland over almost five centuries — about a century longer than Europeans have been in Canada so far. Eventually they pulled out because they could no longer pursue their mixed-farming way of life there, and were unwilling to turn themselves into hunter-gatherers.

They were stubborn, certainly, but they were not necessarily wrong. Over on the opposite side of the Davis Strait, on Baffin Island and in Labrador, the Dorset Palaeoeskimos vanished entirely during this period. When the world changes, you adapt, you move, or you go under.

The irony about the fate of the Greenland Vikings is that if they could just have hung on for another 80 years, they would probably have been all right. By the 1530s, large numbers of ships were coming directly from Europe to fish and whale in the waters around Newfoundland and Labrador. With their seafaring skills, the Vikings could have cashed in on the boom and put their settlements back on a firm footing. But by then they were barely a memory. Timing is everything.

In the last half of the 1500s, long before Europeans settled anywhere in North America, the Basque whaling industry was thriving at Red Bay and elsewhere along the southern Labrador coast. Every summer dozens of galleons came out from Spain carrying hundreds of disassembled pre-fab boats and thousands of men to catch and process the whales migrating through the Strait of Belle Isle. They were the largest European presence in the New World north of Havana.

L'ironie du sort c'est que si les Vikings du Groenland avaient pu résister quatre-vingts ans de plus, ils s'en seraient sans doute sortis. Dans les années 1530 de nombreux navires européens se rendaient déjà directement dans les eaux entourant Terre-Neuve et le Labrador pour y pêcher et y chasser la baleine. Forts de leur expérience en navigation les Vikings auraient pu profiter de cet essor pour remettre leurs établissements sur des bases solides. Mais voilà, à cette époque ils n'étaient déjà plus qu'un lointain souvenir. Leur chance était passée.

Dans la dernière moitié des années 1500, longtemps avant l'établissement des Européens en Amérique du Nord, l'industrie de la chasse à la baleine par les Basques était florissante dans des endroits comme Red Bay sur la côte sud du Labrador. Tous les étés des douzaines de galions quittaient l'Espagne avec des embarcations en pièces détachées et des milliers de marins pour aller capturer les baleines durant leur migration dans le détroit de Belle-Île. Ils représentaient alors la plus importante présence européenne au Nouveau Monde au nord de La Havane.

C'est la production d'huile – l'industrie de la lampe à huile - qui amena les Basques sur la côte du Labrador. La nuit venue, en effet, des millions d'Européens avaient besoin d'huile pour leurs lampes. La graisse de baleine en produisait de vastes quantités, de très haute qualité et à un prix imbattable, même s'il fallait parcourir dix mille kilomètres pour aller la produire au Labrador et rentrer en Europe. C'était déjà la globalisation à grande échelle.

Après seulement soixante ans, les Basques partirent ailleurs, sans doute parce qu'ils avaient pratiquement réussi à exterminer les baleines dont la migration leur faisait traverser le détroit de Belle-Île. C'était la façon de faire aux premiers jours de l'exploitation européenne du Nouveau Monde et on doit reconnaître que les

Wooden shoe last, Greenland, c. 1200 AD.
Courtesy of Greenland National Museum & Archives
Forme à chaussure en bois, Groenland, vers 1200.
Grâce au Musée national et Centre d'archives du Groenland

Gardar, Eastern Settlement (Greenland).
Ruin of a large stable with room for about eight dozen cows.
Courtesy of Greenland National Museum & Archives
Gardar, colonie orientale (Groenland).
Ruines d'une grande étable avec de l'espace pour environ huit douzaines de vaches.
Grâce au Musée national et Centre d'archives du Groenland
PHOTO: Knud Krogh

What brought the Basques to the Labrador coast was the oil industry — the lamp-oil industry. Millions of Europeans needed oil to light their lamps at night, and whale blubber produced such quantities of high-grade oil that it could beat the price of locally-produced oils in Europe even if you had to travel 10,000 kilometres to Labrador and back to get it. This was economic globalization with a vengeance.

But after only about 60 years, the Basques were gone again, presumably because they had practically hunted out the whales whose traditional migration patterns took them through the Strait of Belle Isle. It's a pattern that was commonplace in the early European exploitation of the New World — and hasn't been exactly unknown since then, either.

But the biggest impact of transporting large numbers of people from the mainland of Europe to the Americas was not on the wildlife. It was on the native peoples. For it brought them into contact with the whole

choses n'ont pas beaucoup changé depuis.

En fait, le vaste transfert de population du continent européen vers les Amériques affecta les populations autochtones bien plus que l'environnement. Au contact des Européens, ils entrèrent en contact avec de nombreuses maladies infectieuses contre lesquelles ils n'avaient aucune immunité.

Personne ne sait quelle était la population des Amériques avant l'arrivée des Européens : on l'estime à entre 10 et 50 millions de personnes. On sait, par contre, que tous les recoins des deux continents étaient occupés depuis des milliers d'années et que tous leurs résidents, sans exception aucune, étaient des Autochtones, Indiens ou Inuit.

Sur les 750 millions de personnes qui peuplent actuellement les Amériques, les Indiens ou Inuit représentent moins de cinq pour cent de la population. Bien évidemment une telle réduction de la population autochtone sur son propre territoire est le résultat de massacres mais, même dans les guerres les plus terribles de l'histoire, on n'en est jamais arrivé à un tel résultat.

En fait, les armes sont pour bien peu dans cette hécatombe. Les vrais responsables, ceux à qui on peut attribuer la responsabilité d'environ quatre-vingt-dix pour cent des morts, selon une estimation sérieuse, ce sont les microbes et les virus qui continuèrent à tuer, année après année, peu importe la qualité des relations entre Européens et Autochtones. Prenons l'exemple de Georges Cartwright.

Far left: Normandy coarse earthenware water jug, Red Bay (Labrador), c. 1550 AD.
À l'extrême gauche : Pichet à eau en faïence commune de Normandie, Red Bay (Labrador), vers 1550.
Courtesy of/Grâce à Newfoundland Museum
PHOTO: Ned Pratt

Coarse earthenware pot, Red Bay (Labrador), c. 1550 AD.
Jarre en terre cuite, Red Bay (Labrador), vers 1550.
Courtesy of/Grâce à Newfoundland Museum
PHOTO: Ned Pratt

Barrel piece, Red Bay, (Labrador), c. 1550 AD.
Spanish galleons were North America's first oil tankers. This wooden barrel end piece was fitted on a barrel that contained whale oil for European lamps.
Pièce de tonneau, Red Bay (Labrador), vers 1500.
Les galions espagnols auront été les premiers navires porteurs d'huile d'Amérique du Nord. Cette pièce a fait partie du fond d'un tonneau dans lequel on expédiait l'huile de baleine en Europe, où elle servait à alimenter les lampes.
Courtesy of/Grâce à Newfoundland Museum
PHOTO: Ned Pratt

array of deadly infectious diseases that the Europeans carried with them — diseases against which they had no immunity whatever.

Nobody knows how many people there were in the Americas before the Europeans arrived: estimates range from 10 million up to 50 million. But we do know that every corner of both continents had been occupied for thousands of years and 100 percent of the residents were native American Indians and Inuit.

Now there are 750 million people in the Americas, and fewer than five percent of them are Indians and Inuit. And while some of what happened to reduce the native peoples to such a tiny minority in their own continents was outright killing, even the worst wars in history have never done this to a population.

Weapons did very little of the killing, in fact. The real culprit, responsible for up to 90 percent of the deaths according to one authoritative estimate, was microbes and viruses, and they went on killing, year in and year out, whether relations between the Europeans and the natives were good or bad. Take George Cartwright, for example.

Cartwright was a well-meaning British trader who operated a business on the Labrador coast in the 1770s. He had friends among the Inuit, he went hunting with

Cartwright, un commerçant britannique bienveillant, travaillait sur la côte du Labrador dans les années 1770. Il comptait des Inuit parmi ses amis, il allait à la chasse avec eux et s'habillait parfois comme eux. En 1772, il emmena avec lui en Angleterre un groupe d'Inuit de Rigolet. Deux hommes, deux femmes et un enfant Inuit faisait partie de cette mission d'amitié. Tous, bien sûr, en moururent.

Dans les pays d'Europe à forte densité de population, il existait au moins une douzaine de maladies mortelles contre lesquelles les Autochtones d'Amérique n'avaient absolument aucune résistance. Ces maladies tuaient sans aucun doute des millions de Français, d'Anglais ou d'Espagnols mais la majorité des Européens avaient au moins une certaine résistance à ces maladies et, en plus, ils étaient nombreux. Les mêmes maladies lâchées dans un petit groupe sans aucune résistance pouvaient littéralement tuer tout le monde.

Tous les Inuit qui accompagnaient Cartwright attrapèrent la varicelle et quatre d'entre eux moururent en Europe. Une femme se remit sur pied et ramena avec elle au Labrador certains effets personnels contaminés.

Elle retrouva les siens à Stage Cove, près de Battle Harbour. L'épidémie de varicelle qui s'ensuivit

Top: Two Thule iron harpoon tips, southern Labrador, c. 1675.
En haut : Deux pointes de harpon en fer thulé, sud du Labrador, vers 1675.
Courtesy of/Grâce à Newfoundland Museum
PHOTO: Ned Pratt

Left: Basque hunters in a chalupa, with right whale.
Courtesy of Government of Newfoundland & Labrador
À gauche : Chasseurs basques dans une chalupa, avec une baleine franche.
Grâce au Gouvernement de Terre-Neuve et du Labrador
ARTIST/ARTISTE: W.B. Ritchie
PHOTO: Ned Pratt

Basque iron harpoon, southern Labrador, c. 1550 AD.
Harpon en fer (basque), sud du Labrador, vers 1550.
Courtesy of/Grâce à Newfoundland Museum
PHOTO: Ned Pratt

them, he even wore Inuit clothing sometimes. And in 1772 he brought a group of Inuit from the Rigolet area with him to England on a goodwill mission: two men, two women, and a child. It killed them, of course.

In the densely populated countries of Europe, there were at least a dozen deadly diseases that native Americans had absolutely no resistance to. These diseases killed millions of English and French and Spanish too, but most Europeans had some resistance to them and besides, there were just so many of them. Whereas when the same diseases got loose in a small group that had no resistance, they could literally wipe them out.

All the Inuit who accompanied Cartwright to England caught smallpox, and four of the five died there. One woman recovered, and brought some personal articles infected with smallpox back to Labrador with her.

She rejoined her band at Stage Cove, near Battle Harbour — and the ensuing smallpox epidemic killed every single member of her band and many if not most other Inuit in the region. Since the 1770s, there has never again been a large Inuit population south of Hamilton Inlet.

The closing of the circle was a measureless calamity for the people living on the Western side of the Atlantic. But why? Why were the Europeans' diseases so much more lethal than theirs?

The answer is that the problem wasn't just Europe — it was Eurasia.

In 1500 AD, at least 90 percent of the world's farmers and almost all of the world's larger cities were in Eurasia. Population densities were very high in Eurasia by the standards of the rest of the world, and so the diseases were far more deadly.

Diseases evolve. In a hunter-gatherer culture, it's a bad strategy for a disease to be too lethal. Why? Well, suppose that a highly infectious,

tua tous les membres de sa tribu ainsi que de nombreux Inuit de la région, peut-être même la majorité d'entre eux. Depuis 1770 on ne trouve plus de large population Inuit au sud de Hamilton Inlet.

La fermeture du cercle représenta donc une calamité incommensurable pour les peuples qui vivaient du côté Ouest de l'Atlantique. Mais pourquoi donc? Pourquoi les maladies européennes étaient-elles plus mortelles que les leurs? La réponse tient au fait que le problème ne se limite pas seulement à l'Europe, il s'étend à l'Eurasie.

En 1500 après Jésus - Christ, au moins quatre-ving-dix pour cent des fermiers de la planète vivaient en Eurasie où se trouvaient presque toutes les grandes villes du monde. Comparativement, les densités de population y étaient bien plus élevées que dans le reste du monde et les maladies bien plus mortelles.

En effet, les maladies évoluent. Dans une culture basée sur la chasse et la cueillette une maladie ne doit pas être trop mortelle. Pourquoi? Supposons qu'un microbe hautement infectieux et mortel à court terme se répande dans le corps d'une personne de cette culture : l'infection ne tarde pas à se répandre au reste de la tribu et tout le monde en meurt - ce qui signifie que le microbe manque d'hôtes et qu'il meurt à son tour. C'est pour cette raison que la majorité des maladies infectieuses des sociétés de taille modeste tuent très lentement (par exemple la syphilis et la tuberculose, les seules maladies mortelles à avoir pu se déplacer d'Est en Ouest, des Amériques jusqu'en Europe) ou ne sont pas mortelles du tout.

Dans le cas de fortes densités de population, comme en Eurasie, les germes et les virus qui infectent les gens peuvent opter pour une autre stratégie. Ils peuvent envahir

Modified European iron scissor half (Thule), southern Labrador, c. 1675 AD.
Moitié de ciseaux de fer européens adaptée, Thulé, sud du Labrador, vers 1675.
Courtesy of/Grâce à Newfoundland Museum
PHOTO: Ned Pratt

Basque hemp ring for thole pin, southern Labrador, c. 1550 AD.
Anneau de chanvre torsadé pour tolet (basque), sud du Labrador, vers 1550.
Courtesy of/Grâce à Newfoundland Museum
PHOTO: Ned Pratt

Basque roof tile/Thule "whetstone," southern Labrador, c. 1675 AD.
Pierre à aiguiser (thulé) provenant d'une tuile basque, sud du Labrador, vers 1675.
Courtesy of/Grâce à Newfoundland Museum
PHOTO: Ned Pratt

quick-killer microbe gets into a hunter-gatherer. The infection quickly spreads to the rest of their band, and they all die — but that means the microbe just ran out of hosts, so it dies out too. That's why most infectious diseases in small-group societies kill either very slowly (like syphilis and tuberculosis, the only lethal diseases that may have travelled east from the Americas to Europe) or not at all.

When people start living at the high densities of Eurasia, however, the germs and viruses that infect them have the option of a different strategy. They can take over the host's body and multiply very fast even if it kills the host in the process because in the crowded cities of Eurasia there's always a good chance that the host will infect someone else before he or she dies.

It probably took less than 10,000 years for a whole range of new quick-killer diseases to evolve in Eurasia, from whooping cough and scarlet fever to smallpox and cholera. But that still gave the immune systems of Europeans and Asians time to adapt, so most people from England to China had some immunity to these diseases: millions died, but tens of millions survived.

By contrast, native people in the Americas had no immunities. When a band was exposed to one of these Eurasian diseases, most or even

le corps d'un hôte et se multiplier très rapidement même si l'hôte en meurt. Dans les villes surpeuplées d'Eurasie il est fort probable que l'hôte aura la chance de contaminer quelqu'un d'autre avant de mourir.

De la coqueluche à la scarlatine en passant par la varicelle et le choléra il fallut sans doute moins de 10,000 ans pour que toute une série de nouvelles maladies mortelles à effet rapide se développent en Eurasie. Les systèmes immunitaires des européens et des asiatiques eurent le temps de s'adapter et la majorité des populations, d'Angleterre jusqu'en Chine, disposaient donc d'une certaine dose d'immunité. Des millions de gens en mouraient mais des dizaines de millions survivaient aux épidémies.

Les peuples autochtones des Amériques n'avaient, pour leur part, aucune immunité. Lorsqu'une tribu était exposée à une de ces maladies eurasiennes, tous ses membres, ou presque, en mouraient. Les survivants, s'il y en avait, ne résistaient pas longtemps ou étaient emportés par la maladie d'origine eurasienne qui succédait à la première. Si les nouveaux venus au Nouveau Monde ont, à peu de choses près, remplacé les peuples d'Amérique c'est à cause des maladies qu'ils y ont amenées bien plus qu'à cause de leurs armes ou de la quantité de leurs immigrants.

Thule soapstone lamp, northern Labrador, c. 1500 AD.
Lampe en saponite (thulé), nord du Labrador, vers 1500.
Courtesy of/Grâce à Newfoundland Museum
PHOTO: Ned Pratt

Captain George Cartwright.
Le capitaine George Cartwright.
Courtesy of/Grâce à Centre for Newfoundland Studies

European glass trade beads, southern Labrador, c. 1675 AD.
Perles de verre pour le troc, sud du Labrador, vers 1675.
Courtesy of/Grâce à Newfoundland Museum
PHOTO: Ned Pratt

all of the members might die. If there were survivors, soon enough a different Eurasian quick-killer would be along to carry them off too. It was the diseases of the European mass societies, far more than their weapons or their greater numbers, that led to the wholesale replacement of the peoples of the Americas by the newcomers from the Old World.

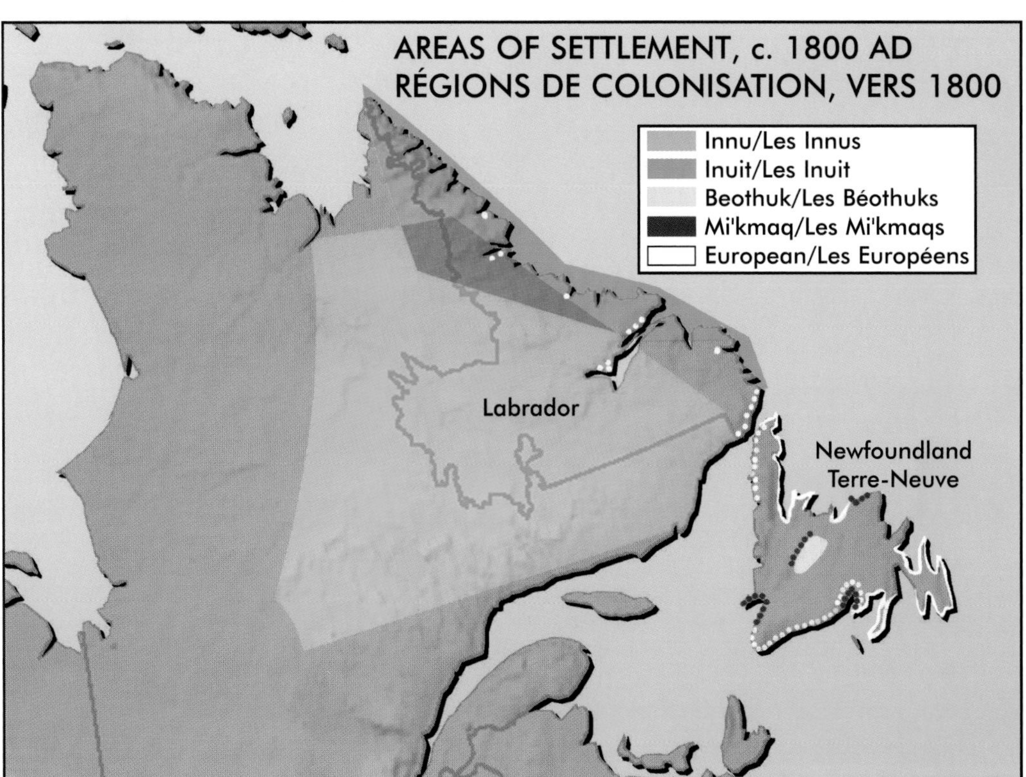

Auttuiok (far left) and Caubvick were among a group of five Labrador Inuit taken to England in 1772 by Captain George Cartwright. Caubvick was the only Inuk to survive the trip.
Auttuiok (à l'extrême gauche) et Caubvick étaient au nombre des cinq Inuit du Labrador ramenés en Angleterre en 1772 par le capitaine George Cartwright. Caubvick est la seule du groupe qui ait survécu au voyage.
Courtesy of/Grâce à Courtauld Institute of Art
ARTIST/ARTISTE: Nathaniel Dance

Full Circle

Le grand cercle

Full Circle Le grand cercle

By the 14th century, when Icelanders wrote down the two Sagas that give us all the historical information we have about the Viking voyages to Vinland, a dozen generations of telling and retelling the tales had blurred and garbled the details. When the Sagas became widely known in North America in the last century, some people thought the permanent base in Vinland they talk about might have been as far south as Massachusetts in the United States; others doubted that it existed at all. And there was absolutely no physical evidence for the whole episode.

But if you actually read the Sagas with a mariner's eye — north along a rocky coast, south along a wooded one, then a sandy beach that it takes a day to sail past — there are quite a few clues to where the base should have been. If you also know when the ice clears off Greenland, and what the currents and prevailing winds are between there and North America, then you could come up with a good guess.

Someone did. In the early 1900s, a Newfoundlander called W.A Munn puzzled it all over, and came up with a site in Pistolet Bay on Newfoundland's Northern Peninsula, only a few miles from the actual location of the Viking base. I remember

Vers le quatorzième siècle, alors que les Islandais écrivaient les deux sagas auxquelles nous devons tous les renseignements historiques dont nous disposons sur les voyages des Vikings à Vinland, une douzaine de génération de narration de ces récits en avaient un peu gommé et déformé les détails. Au siècle dernier on découvrit les sagas en Amérique du Nord et quelques personnes se mirent à penser que la base de Vinland, qui y était citée, se trouvait au Sud, au Massachusetts, par exemple. Pour d'autres, Vinland n'existait pas, il n'y en avait d'ailleurs aucune preuve concrète.

Pourtant, en lisant les sagas du point de vue d'un marin - faire route au Nord le long d'une côte rocailleuse, puis vers le Sud le long d'une côte boisée, puis suivre durant toute une journée une plage sablonneuse - on reconnaît quelques indices. De plus, quand on sait à quelle époque les glaces quittent les côtes du Groenland et qu'on connaît les courants et les vents dominants entre le Groenland et l'Amérique du Nord, on peut en arriver à une supposition.

Une personne l'a fait : Au début des années 1900, un Terre-Neuvien, W.A. Munn, y réfléchit longuement et en arriva à la conclusion que Vinland se trouvait à la baie de Pistolet, dans la péninsule nord de Terre-Neuve, à quelques milles à peine de l'emplacement réel de la base viking. Je me souviens d'avoir découvert un jour, dans le grenier, le petit livre recouvert de papier qu'il y avait consacré. Je m'étais assis tout un après-midi dans la noirceur du grenier pour le lire. Jusqu'à ce jour, j'avais toujours pensé qu'il s'agissait d'un mythe.

Dans les années soixante, arrivèrent, à leur tour, Anne Stine et Helge Ingstad, une archéologue norvégienne et son mari écrivain. Comme Munn, ils avaient lu les sagas et tenté de trouver les côtes correspondantes, mais au lieu de le faire sur une carte, ils avaient choisi de le faire en bateau. Après avoir isolé la région où ils

Cape Porcupine (Labrador): the "Wonder Strands" noted in the Viking Sagas?
Courtesy of Parks Canada
Cap Porcupine (Labrador) : s'agirait-il des « Rivages enchantés » mentionnés dans les sagas vikings?
Grâce à Parcs Canada

W.A. Munn.
Courtesy of Parks Canada
Grâce à Parcs Canada

discovering the modest paper-covered book he wrote about it in the attic one day when I was about 15, and sitting up there in the gloom all one summer's afternoon reading it. Up to then I'd always thought that it was just a story.

Dr. Anne Stine Ingstad and Helge Ingstad aboard the *Halten*.
Anne Stine Ingstad et Helge Ingstad, à bord du *Halten*.
Courtesy of/Grâce à Bill Callahan

Camp stove, L'Anse aux Meadows, c. 1965 AD.
This camp stove was used by Helge and Anne Stine Ingstad to prepare daily meals during the early years of the L'Anse aux Meadows excavation.
Courtesy of the Decker family
Réchaud de camping, L'Anse aux Meadows, vers 1965.
Helge et Anne Stine Ingstad ont utilisé ce réchaud pour cuisiner durant leurs premières années de fouilles à L'Anse aux Meadows.
Grâce à la famille Decker
PHOTO: Ned Pratt

Far right: George Decker (left) helped guide the Ingstads to the L'Anse aux Meadows site.
Courtesy of the Decker family
À l'extrême droite : George Decker (à gauche) a guidé les Ingstad jusqu'au site de L'Anse aux Meadows.
Grâce à la famille Decker

Tobacco pipe belonging to George Decker,
L'Anse aux Meadows, c. 1960 AD.
Courtesy of the Decker family
Pipe de George Decker, L'Anse aux Meadows,
vers 1960.
Grâce à la famille Decker
PHOTO: Ned Pratt

Then, in the 1960s, came Anne Stine and Helge Ingstad, a Norwegian archaeologist and her writer husband. Their approach was essentially the same as Munn's — read the Sagas, and try to match them up with the real coast-lines. But instead of doing it on a map, they did it in a small boat. Once they had narrowed down the general area where they believed any remains of the base must be, they literally went from one outport to another asking local people if they had noticed anything that could be the remains of Leif's buildings, any unexplained ruins near the shore.

And in due course, on a June day, they sailed into L'Anse aux Meadows and put the question to George Decker,

pensaient trouver des traces de la base, ils allèrent littéralement d'un village à l'autre, demandant aux résidents s'ils avaient remarqué des choses qui puissent être les ruines des bâtiments de Leif, quelques ruines mystérieuses près de la côte.

Finalement, un jour de juin, ils arrivèrent à L'Anse aux Meadows et posèrent la question à Georges Decker, porte-parole de la communauté. « Bien sûr », répondit-il, « suivez-moi » - et ils les amena tout droit sur le site. Si seulement on avait pris la peine de lui poser la question avant.

Un millier d'années après la fermeture du grand cercle, on vit encore à L'Anse aux Meadows, en nombre comparable d'ailleurs à l'établissement viking. Il y a aussi des gens qui vivent à Sheshatshiu au Labrador, très probablement les descendants directs des Indiens qui, au même endroit il y a mille ans, tuèrent Thorvald Ericson.

Les Terre-Neuviens de L'Anse aux Meadows et les Innu de Sheshatshiu vivent encore dans les sociétés aux économies touche-à-tout qui sont typiques des sociétés nordiques. Il y a cinquante ans, on aurait même pu dire que ces deux groupes dépendaient encore, par certains côtés, de la chasse et de la cueillette- bien que les habitants de L'Anse aux Meadows en aient pratiqué une version plus globale qui comprenait la pêche à la morue, la chasse aux phoques et la coupe de bois pour les marchés mondiaux.

Nombreux sont les Innu qui partent encore dans le bois quand c'est possible, mais ils ne vivent plus vraiment de la terre : aujourd'hui les gens de Sheshatshiu vivent avec de l'argent comptant qu'ils gagnent en travaillant dans des emplois semi-qualifiés ou qui leur est donné par divers programmes gouvernementaux. La même chose

the man who acted as spokesperson for the community. "Of course," he said. "Follow me" — and he led them straight to the site. It was just that nobody had ever asked him before.

A thousand years after the circle was finally closed, there are people living at L'Anse aux Meadows again — about the same number, in fact, as in the original Viking settlement. There are also people living at Sheshatshiu in Labrador, and they are very probably the direct descendants of the Indians who killed Thorvald Ericson in a clash at that site a thousand years ago.

Both the Newfoundlanders at L'Anse aux Meadows and the Innu at Sheshatshiu still live in the kind of pluralistic, do-a-bit-of-every-thing economy that is normal in these northerly climes. Until less than 50 years ago

Upper right: Viking re-enactor entertains contemporary visitors inside the sod house at L'Anse aux Meadows.
Courtesy of Parks Canada
À l'extrême droite, en haut : Un interprète de personnage viking reçoit les visiteurs dans l'habitation de terre de L'Anse aux Meadows.
Grâce à Parcs Canada
PHOTO: Shane Kelly

Above: The reconstructed L'Anse aux Meadows site as it is approached today.
Courtesy of Parks Canada
En haut : Le site reconstruit de L'Anse aux Meadows, tel qu'on peut le visiter aujourd'hui.
Grâce à Parcs Canada
PHOTO: Shane Kelly

Innu hunter at Border Beacon (Labrador).
Chasseur Innu à Border Beacon (Labrador).
PHOTO: Nigel Markham

A view of contemporary Sheshatshiu, across the water.
Vue sur l'eau de Sheshatshiu aujourd'hui.
PHOTO: Kevin McAleese

s'applique aux habitants de L'Anse aux Meadows, surtout depuis qu'ils ne peuvent plus pêcher la morue (la pêche est fermée à cause de la surpêche). En fait, dans les quinze dernières années le second établissement européen de L'Anse aux Meadows a perdu environ la moitié de sa population et, par une de ces ironies du sort qui semblent être la spécialité de la globalisation, l'avenir de ceux qui ont choisi d'y rester est principalement lié à l'industrie touristique générée par le premier établissement. Un grand cercle d'un autre ordre.

Nous approchons de la fin d'un processus millénaire de globalisation qui a récolté tous les fragments éclatés de l'espèce humaine. Le processus a été ardu et bien des résultats ne nous sourient pas. Quand on pense à la souffrance et à tout ce qu'on a perdu, on peut conclure que ça ne valait pas la peine. Par contre, quelque chose de précieux en est sorti.

you could even say that they were both hunter-gatherers, in a way, though the people of L'Anse aux Meadows did a globalized version of it that involved catching cod, hunting seals, and cutting trees for the world market.

Many of the Innu still go out on the land whenever they can, but they don't really live off it: the people of Sheshatshiu are mostly in the cash economy, and get most of their money from labouring and semi-skilled jobs plus government support of various kinds. The same is largely true of the people of L'Anse aux Meadows, especially since they can no longer fish for cod (the fishery is closed due to over-fishing). Indeed, the second European settlement at L'Anse aux Meadows has lost about half its population in the past 15 years, and in one of those ironies that globalization specializes in, the future of those who remain depends mostly on the tourist industry that is built on the first settlement. Another kind of full circle.

We are nearing the end of a 1,000-year process of globalization that has re-connected all the scattered fragments of the human species. It has been a brutal process, and many of the results we do not like. When you think of all the pain, and how much has been lost, you might well conclude that it was not worth it. But something valuable has been gained, too.

We now do much of our thinking, especially about right and wrong behaviour and about our duty to help those in trouble, in terms of the whole human race. For all practical purposes, that is a new moral category.

Aujourd'hui, nous pensons en fonction de toute la race humaine, surtout dans les domaines du bien et du mal et de notre devoir d'aider ceux qui souffrent. À toutes fins pratiques, il s'agit là d'une nouvelle sorte d'éthique.

Dream catcher, Conne River (Newfoundland), 2000 AD.
This circular, mixed media piece symbolizes Aboriginal spirituality. The web "catches" bad dreams, which the sun's rays dissolve; good ones come to the sleeper via the eagle feather.
Capteur de rêves, Conne River (Terre-Neuve), l'an 2000.
Cette pièce circulaire en techniques mixtes témoigne de la spiritualité autochtone. La toile capture les cauchemars, qui sont dissous par les premiers rayons du soleil. Les rêves heureux sont transmis au dormeur par la plume d'aigle.
Courtesy of/Grâce à Newfoundland Museum
PHOTO: Ned Pratt

Innu iron/wood crooked knife, central Labrador, c. 1925 AD.
Couteau à lame incurvée Innu en fer et en bois, centre du Labrador, vers 1925.
Courtesy of/Grâce à Newfoundland Museum
PHOTO: Ned Pratt

Guest books from a local Bed and Breakfast and the L'Anse aux Meadows site reflect the area's contemporary Viking-related economic activity.
Courtesy of the Pittman family and Parks Canada
Les livres des visiteurs d'un gîte du passant (en haut) et du lieu historique de L'Anse aux Meadows témoignent de l'activité économique contemporaine associée aux Vikings.
Grâce à la famille Pittman et Parcs Canada
PHOTO: Ned Pratt

Curatorial Introduction

Kevin McAleese

Crossroads, seaways, homelands, and landnam ("land taking")...

How and where did Vikings and Aboriginal Peoples meet in the New World? Opinions differ. On the following pages, the FULL CIRCLE curators and advisors, all archaeologists with considerable research experience, summarize some of what is known and/or is being investigated about the people whose homelands received Norse visitors circa 1000 AD, and about Viking/Skraeling contact.

Priscilla Renouf begins with the ancient Dorset people, whose 2,000-year settlement of Arctic Canada, Greenland, Labrador, and the island of Newfoundland was on the wane by 1000 AD. It is unlikely the Dorset had much contact with Vikings, for they were being replaced by a new group of Arctic settlers — the Thule-culture Inuit. The Norse may have seen abandoned Dorset dwellings and artifacts, however.

Ralph Pastore discusses dwellings that were not abandoned — and stone tools that were very much in use — by people archaeologists now call Recent Indians. Likely the ancient ancestors of Labrador's Innu and the island of Newfoundland's Beothuk, these people apparently traded with the Vikings. Pastore summarizes the reasons for this contact's problematic nature — a harbinger of the European/Aboriginal interaction of the 16th century.

With input from Pat Allen, the third essay ("Skraelings of the Gulf of St. Lawrence") describes the settlement and subsistence culture circa 1000 AD of the Aboriginal People of another part of Vinland — northeastern New Brunswick. These people hunted, fished, and gathered a wide array of resources; some of their descendants are this area's contemporary Mi'kmaq.

The resources used by the Proto-historic Mi'kmaq also attracted the Vikings, who were particularly pleased to find grapes and hardwood trees — which were major contributors to their economy. Birgitta Wallace explains how the Norse outpost at L'Anse aux Meadows was used as resource storage site and a gateway to Vinland. She notes that pressure, even resistance, by the Skraelings contributed to the brevity of Viking occupation there. She also places the site, and Vinland, in the context of Viking expansion across the North Atlantic.

Finally, Peter Schledermann discusses the nature of contact that occurred circa 1250 AD between the Norse and Eastern Arctic Inuit. He sees both direct and indirect trade and communication in the Far North world of the Thule/Dorset/Viking, which is currently one of the most intriguing arenas of archaeological investigation.

Présentation du conservateur

Kevin McAleese

Carrefours, voies maritimes, patries et landnam (prise de possession)...

En quels lieux et dans quelles circonstances Vikings et peuples autochtones sont-ils entrés en contact dans le Nouveau Monde? La question reste ouverte. Dans les pages qui suivent, les conservateurs et les conseillers de l'exposition LE GRAND CERCLE, tous archéologues chevronnés, résument ce que l'on sait et ce qui fait encore l'objet de recherches sur ces peuples dont la patrie a reçu la visite des Scandinaves vers l'an 1000, et sur les contacts entre Vikings et Skraelings.

Priscilla Renouf commence par évoquer l'ancien peuple de la culture de Dorset, dont l'emprise durant deux millénaires sur l'Arctique canadien, le Groenland, le Labrador et l'île de Terre-Neuve s'était considérablement affaiblie en l'an 1000. Il est peu probable que ce peuple ait eu grand contact avec les Vikings, à cette époque où il était supplanté par un nouveau groupe de colonisateurs de l'Arctique, les Inuit de la culture du Thulé. Ceci dit, il se peut que les Scandinaves aient observé des habitations et des artefacts abandonnés de ces anciens Esquimaux.

Ralph Pastore décrit des habitations qui, elles, n'avaient pas été abandonnées, et des outils de pierre fort utilisés par un peuple que les archéologues ont nommé les Indiens récents. Ancêtres présumés des Innus du Labrador et des Béothuks de l'île de Terre-Neuve, ces indigènes auraient fait du troc avec les Vikings. Pastore résume les circonstances qui rendaient difficiles ces contacts, et qui sont autant de signes avant-coureurs de ce qu'allaient être les rapports entre Européens et Autochtones au XVIe siècle.

Avec la collaboration de Pat Allen, le troisième essai « Skraelings du golfe du Saint-Laurent » décrit la culture de peuplement et de subsistance d'un peuple indigène d'une autre région du Vinland — le nord-est du Nouveau-Brunswick. Vers l'an 1000, ces gens chassaient, pêchaient et cueillaient un large éventail de ressources. Ils ont notamment pour descendants les Mi'kmaqs modernes.

Les ressources qui assuraient la subsistance des Mi'kmaqs protohistoriques sont aussi celles qui ont attiré les Vikings, particulièrement heureux de trouver au Vinland les raisins et le bois franc qui occupaient une grande place dans leur économie. Birgitta Wallace explique comment les Scandinaves ont utilisé leur poste de L'Anse aux Meadows comme site d'entreposage des ressources et portail sur le Vinland. Elle montre comment les pressions, voire la résistance, des Skraelings ont contribué à abréger la présence des Vikings dans la région. Elle décrit aussi l'importance du site, et du Vinland, dans le contexte de l'expansion viking dans l'Atlantique nord.

Enfin, Peter Schledermann expose la nature des contacts entretenus par les Scandinaves et les Inuit de l'est de l'Arctique vers 1250. Il parle des échanges et des rapports, directs et indirects, qui avaient cours dans le territoire arctique des Thulé/Dorset/Vikings, ce qui constitue l'un des champs d'études les plus fascinants de l'archéologie moderne.

Thule Inuit wooden maps (replicas), Greenland, 1884 AD.
Courtesy of Greenland National Museum & Archives
Cartes en bois (répliques) des Inuit du Thulé, Groenland, 1884.
Grâce au Musée national et Centre d'archives du Groenland
PHOTO: Ned Pratt

Dorset Palaeoeskimos: Sea-mammal Hunters of the North

M.A. Priscilla Renouf

According to the Icelandic Sagas, Vikings encountered Skraelings — as they referred to the native people — twice in Markland. Descriptions of the geography where this happened suggest that both meetings took place in central Labrador, which identifies the Skraelings as Recent Indians, a prehistoric Amerindian people who lived in Labrador and Newfoundland from 2,000 years ago until European contact.

The Sagas do not mention encounters with Skraelings in northern Labrador, a region which a thousand years ago was occupied by Dorset Palaeoeskimos. Whether or not Vikings ever met any Dorset people, they most certainly passed by Dorset camps as they sailed along the coast of northern Labrador en route to Vinland.

Dorset Palaeoeskimos were a vibrant people who were well-adapted to Arctic regions, living as far north as Ellesmere Island and northern Greenland. Not only did they live in the extreme north, but their range extended as far south as the island of Newfoundland, where their sites can be found on almost every headland.

Les Paléoesquimaux du Dorset : Les chasseurs de mammifères marins du Nord

M.A. Priscilla Renouf

D'après les sagas islandaises, les Vikings ont rencontré des Skraelings, ainsi qu'ils appelaient les Autochtones, à deux reprises au Markland. Selon les descriptions géographiques des endroits où ces rencontres se produisirent, il se serait agi du centre du Labrador, ce qui veut dire que les Skraelings en question auraient été des Indiens récents, peuple amérindien préhistorique qui vécut à Terre-Neuve et au Labrador il y a 2 000 ans jusqu'à la colonisation européenne.

Les sagas ne parlent pas de rencontres avec les Skraelings dans le nord du Labrador, région occupée il y a mille ans par les Paléoesquimaux du Dorset, ou Dorsétiens. Qu'ils aient ou non rencontré des Esquimaux du Dorset, les Vikings ont certainement dû passer par des camps dorsétiens en naviguant le long de la côte du nord du Labrador pour se rendre au Vinland.

Les Paléoesquimaux du Dorset étaient un peuple fort bien adapté aux conditions extrêmes des régions arctiques et qui vivaient aussi loin que l'île d'Ellesmere et le nord du Groenland. Outre le Grand Nord, leur territoire s'étendait aussi au sud, jusqu'à l'île de Terre-Neuve, où ils ont laissé des traces de leur présence sur presque tous les promontoires.

Les Dorsétiens étaient les descendants des peuples de Sibérie qui traversèrent le détroit de Béring entre 3000 et 2000 av. J.-C. et qui se dispersèrent rapidement dans l'Arctique canadien depuis l'Alaska; ils avaient atteint le Groenland et le Labrador en 1800 av. J.-C. Ils s'adaptèrent au milieu, exploitant les mammifères et les oiseaux marins ainsi que le boeuf musqué et le caribou, et finirent, avec le temps, par devenir des chasseurs chevronnés de mammifères marins, qu'ils chassaient depuis des établissements plus grands au moyen d'une panoplie technologique plus diversifiée. Cette évolution se produisit vers 800 av. J.-C., date à laquelle les archéologues commencent à appeler ce peuple les Paléoesquimaux du Dorset. D'après les quelques os humains découverts, les Dorsétiens auraient ressemblé physiquement davantage aux Inuit qu'aux Amérindiens; ils n'étaient cependant pas les ancêtres directs des Inuit.

Les Dorsétiens se servaient des matières premières disponibles et de techniques adaptées qui leur permettaient de fabriquer des outils, de construire des abris, des traîneaux et des embarcations, et de chasser et de dépecer morses, phoques, boeufs muskés, caribous, oiseaux marins et petit gibier. Les os des baleines échouées étaient transformés en patins de traîneau ou servaient de charpente aux habitations. Les andouillers de caribou, les os de phoque, l'ivoire de morse et les dents de baleine étaient façonnés en objets divers : harpons, lances, couteaux à neige, patins de traîneau de petite taille, lunettes de neige, manches, aiguilles, étuis à aiguilles, alènes et figures animales miniatures. Les Dorsétiens utilisaient également le bois lorsqu'ils en trouvaient.

Ces matériaux étaient burinés ou sculptés à l'aide d'un outil spécial appelé burin, fait en néphrite polie jusqu'à ce que la pierre fût extrêmement brillante. Les silex hyalins étaient façonnés en armatures terminales minuscules qui étaient fixées aux têtes de harpon, ce qui donnait aux instruments des pointes aiguës, ou

Gary Baikie (left), Simeon Hunter and Amy Zierler record finding a Dorset soapstone owl, Shuldham Island (Labrador).
Gary Baikie (à gauche), Simeon Hunter et Amy Zierler inscrivent leur trouvaille d'un hibou en saponite de la culture de Dorset, île Shuldham(Labrador).
Courtesy of/Grâce à Newfoundland Museum
PHOTO: Callum Thomson

The Dorset were the descendants of Siberian peoples who crossed the Bering Strait sometime between 3000 and 2000 BC. These people rapidly spread out from Alaska across the Canadian Arctic; by 1800 BC they had reached Greenland and Labrador. They settled into their surroundings, exploiting sea mammals, sea birds, musk ox, and caribou. Over time they became more specialized marine hunters operating out of larger settlements and using a more varied technological repertoire. This happened circa 800 BC, which marks the point at which archaeologists begin to call them Dorset Palaeoeskimos. On the basis of a very few individuals' bones, the Dorset appear to have been of a physical type more similar to Inuit than Amerindian; they were not, however, the Inuit's direct ancestors.

The Dorset combined available raw materials into an efficient technology that enabled them to make tools, build shelter, sleds, and boats, and hunt and process walrus, seals, musk ox, caribou, sea birds, and small game. Bones of stranded whales were fashioned into sled runners or used to frame a house. Caribou antler, seal bone, walrus ivory, and whale teeth were carved into harpoons, lances, snow knives, sled shoes, snow goggles, handles, needles, needle cases, awls, and tiny animal figures. When available, wood was also used.

étaient taillés pour fabriquer des couteaux et des grattoirs. Les lampes, alimentées à la graisse de phoque, et les récipients qui servaient à cuisiner étaient façonnés dans la stéatite ou pierre à savon. Les peaux d'animaux servaient à la confection des vêtements et à la fabrication des tentes et des embarcations. Les habitations, différentes selon les saisons, étaient faites de pierres, d'os, de peaux d'animaux et/ou de neige.

Les Dorsétiens vivaient en groupes familiaux au bord de la mer, sur les promontoires et dans les îles, et même sur la mer englacée dans certaines régions. De petits camps provisoires composés d'une ou de plusieurs familles étaient reliés à un ou plusieurs établissements semi-permanents situés près des territoires de chasse intéressants. Dans l'île de Terre-Neuve, le plus grand et le plus riche de ces centres était situé à Phillip's Garden, qui se trouve dans ce qui est maintenant le lieu historique national de Port au Choix, dans la péninsule Great Northern. Aujourd'hui, l'endroit est une étendue gazonnée de deux hectares sur le promontoire de la presqu'île Point Riche. En mars de chaque année, on peut y voir, aux alentours, d'immenses troupeaux de phoques du Groenland qui quittent leurs aires de mise bas dans le golfe du Saint-Laurent pour aller plus au nord, au Groenland.

C'est pour cette raison que les familles dorsétiennes se sont rendues à Phillip's Garden chaque année au printemps pendant huit siècles, soit de 100 av. J.-C. à 700 apr. J.-C., et que l'on peut voir, à cet endroit, les ombres des fondations d'une cinquantaine d'habitations se dessiner sur le gazon. Bien que les 50 fondations ne datent pas toutes de la même époque, on estime que, à son apogée, l'endroit abritait jusqu'à une douzaine de familles qui y campaient pour chasser le phoque du Groenland. Les dizaines de milliers d'os de phoque mis au jour dans les maisons et les amoncellements de détritus de Phillip's Garden ne font que prouver l'intérêt immense porté à cette seule espèce par les Dorsétiens.

Le site renferme également des vestiges intéressants de maisons utilisées par les Dorsétiens en hiver. Il s'agissait de structures étonnamment grandes, d'une superficie intérieure qui pouvait aller jusqu'à 45 mètres carrés, et capables d'abriter un groupe familial important ou même deux familles.

Soapstone snowy owl, Shuldham Island (Labrador), c. 900 AD.
Harfang des neiges en saponite, Île Shuldham (Labrador), vers 900.
2.9 X 2.1 cm
Courtesy of/Grâce à Newfoundland Museum
PHOTO: Ned Pratt

Soapstone bear, northern Labrador, c. 900 AD.
Ours en saponite, nord du Labrador, vers 900.
4.4 X 2.6 cm
Courtesy of/Grâce à Newfoundland Museum
PHOTO: Ned Pratt

These materials were carved using a special stone engraving tool called a burin, which was made of nephrite polished to a high gloss. Glassy cherts were fashioned into tiny end-blades that fit into a harpoon head, giving it a sharp point, and chipped to make knives and scraping tools. Lamps and cooking pots were carved out of soapstone and fueled by seal oil. Animal skins were sewn into clothing, tents and boat covers. Dwellings of various sorts for various seasons were built out of stone, bone, skin, sod, and/or snow.

Dorset family groups lived by the sea on headlands and islands and, in some regions, on the frozen sea itself. Small temporary camps of one or a few families were connected to one or more semi-permanent settlements located near rich hunting grounds. On the island of Newfoundland, the largest and richest of these central places was Phillip's Garden, located in what is now Port au Choix National Historic Site on the Great Northern Peninsula. Today the site is a two-hectare grassy meadow on the headland of the Point Riche Peninsula. In March of every year large herds of harp seals can be found nearby, as they migrate from their whelping areas in the Gulf of St. Lawrence northward to Greenland.

For this reason, Dorset families visited Phillip's Garden every spring for eight centuries, from 100 BC to 700 AD, and the foundations of more than 50 houses shadow the grass there. While all 50 are not contemporaneous, it is estimated that during the site's heyday there were as many as a dozen families camped together for the harp seal hunt. The intense focus on this single species is reflected in the tens of thousands of seal bones that have been excavated from Phillip's Garden houses and middens.

The site has also provided excellent evidence of Dorset winter houses. These structures were surprisingly large, with an interior area of up to 45 square metres, big enough to accommodate one large family group, or perhaps two families. The central area of the house, where the cooking and food preparation took place, was recessed 20 to 30 centimetres into the ground to insulate against the cold. Raised and levelled sitting and sleeping areas, cushioned with skins and boughs, were situated to the sides and at the rear of the house. In one case, a series of large post-holes was discovered, which outlined a round structure. The holes were slanted to accommodate whale ribs, which provided the dome-shaped house with the framework for its walls. The roof was framed by converging driftwood poles. This yurt-shaped frame was probably covered with sealskins.

In addition to being a prime hunting site, it is likely that Phillip's Garden had an important social function. The glut of harp seals meant that people who normally lived in small family groups throughout the year could come together as one larger group. They would have done this to remind themselves of their collective cultural identity: to tell stories, arrange marriages, and engage in ceremonies. Late in Dorset times, in some parts of the Arctic, this communal period of the year was experienced in another way. At sites located near particularly rich resources, the boulder or slab outlines of longhouses can be seen. Ranging in size from 8 to 44 metres long and 4 metres wide inside, they were communal structures that housed several families.

A fascinating aspect of Dorset culture is their creation of tiny three-dimensional carvings made of bone, ivory, tooth, wood, and soapstone. The subjects were the animals central to their way of life: seals, walrus, polar bears, caribou, musk ox, fox, birds, and fish. Sometimes humans were portrayed as well. Many of these carvings are highly realistic down to the last detail, which befits people who lived by careful observation. In Newfoundland, however, Dorset carvings are two-dimensional plaques of abstract design. A seal, for example, can be recognized only by a tiny notch in the side that represents its front flippers, a tapering rear that represents the hind flippers, and a slightly raised front end denoting an alert head.

Dorset dwelling.
Habitation Dorset.
ARTIST/ARTISTE: W.B. Ritchie

La partie centrale de la maison, où se faisaient la préparation et la cuisson des aliments, était creusée dans le sol, à raison de 20 à 30 centimètres, pour l'isoler du froid, tandis que les coins pour manger et pour dormir, plus élevés et nivelés, couverts de peaux et de branches, se trouvaient sur les côtés et à l'arrière de la maison. On découvrit, dans une maison en particulier, une série de trous pour piquets marquant l'emplacement d'une structure ronde. Ces trous étaient inclinés de façon à pouvoir recevoir les côtes de baleine qui formaient la charpente de la maison en forme de dôme. Des piquets de bois flotté convergents servaient à supporter le toit. Cette ossature en forme de yourte était probablement recouverte de peaux de phoque.

Phillip's Garden n'était pas seulement un lieu de chasse de premier ordre, c'était aussi un important carrefour social. Grâce à la surabondance des phoques du Groenland, les Dorsétiens qui vivaient normalement en petits groupes familiaux pendant toute l'année pouvaient se rassembler en grand nombre. Ils se seraient regroupés pour se rappeler leur identité culturelle collective, c'est-à-dire se raconter des histoires, arranger les mariages et participer à des cérémonies. Plus tard dans la tradition dorsétienne et dans certaines régions de l'Arctique, cette période de vie communautaire devait être vécue différemment. En effet, dans les camps proches de ressources particulièrement abondantes, on peut voir des plaques ou des blocs rocheux qui délimitent le contour de maisons communes. De 8 à 44 mètres de long sur 4 mètres de large à l'intérieur, ces maisons pouvaient abriter plusieurs familles.

Les sculptures miniatures tridimensionnelles que créaient les Dorsétiens constituent un aspect fascinant de leur culture. Ils utilisaient l'os, l'ivoire, les dents d'aminaux, le bois et la stéatite, et reproduisaient les animaux qui étaient au coeur de leur mode de vie — phoque, morse, ours polaire, caribou, boeuf musqué, renard, oiseaux et poissons. Ils sculptaient

By 700 AD, the Dorset ceased to hunt at Phillip's Garden. By 800 AD, they abandoned the island of Newfoundland altogether. By 1000 AD, they had disappeared from most of the Arctic, lingering a few centuries longer in northern Labrador. We don't know what became of the people who practised this remarkable culture, only that they begin to be replaced in the archaeological record around 1000 AD by Thule whale-hunters from Alaska, the ancestors of the Inuit. We do know, however, that for more than 2,000 years Dorset Palaeoeskimos thrived in an extreme environment, the same environment from which the Vikings eventually turned away.

aussi parfois des figures humaines. Beaucoup de ces sculptures sont très fidèles à la réalité, jusque dans les moindres détails, ce qui est normal pour des gens qui savaient observer. À Terre-Neuve par contre, les sculptures dorsétiennes sont de simples plaques bidimensionnelles de conception abstraite. Un phoque, par exemple, ne peut se reconnaître qu'à la minuscule encoche sur le côté qui représente ses membres avant, à une extrémité tronconique qui sert de membres postérieurs et à une extrémité avant légèrement levée qui laisse deviner la tête d'un animal éveillé.

Les Dorsétiens avaient déjà cessé de chasser à Phillip's Garden en 700 apr. J.-C, et avaient complètement quitté l'île de Terre-Neuve en 800 apr. J.-C. Ils avaient presque totalement disparu de l'Arctique en 1000 apr. J.-C., mais vécurent pendant quelques siècles encore dans le nord du Labrador. Nous ne savons pas ce qu'il est advenu de ce peuple à la culture si remarquable, seulement qu'il fut remplacé graduellement dans l'enregistrement archéologique vers 1000 apr. J.-C. par les chasseurs de baleines de Thulé venus de l'Alaska, qui étaient les ancêtres des Inuit. Nous savons cependant que les Paléoesquimaux du Dorset réussirent à prospérer dans un milieu aux conditions extrêmes pendant plus de 2 000 ans, ce même milieu dans lequel les Vikings refusèrent de vivre.

Dorset amulets, Port au Choix (Newfoundland), c. 180 AD.
Amulettes Dorset, Port au Choix (Terre-Neuve), vers 180.
Courtesy of/Grâce à Elmer Harp

"Last of the Tuniit" depicts part of a Labrador Inuit myth that explains the Dorset (Tuniit) people's disappearance.
« Le dernier des Tuniit » décrit une partie d'un mythe des Inuit du Labrador qui explique la disparition des Esquimaux de la culture du Dorset (Tuniit).
Courtesy of/Grâce à W.B. Ritchie

Recent Indian Peoples and the Norse

Ralph Pastore

The people archaeologists refer to as members of the Recent Indian tradition were the prehistoric ancestors of the now extinct Beothuk of Newfoundland, and of the Innu — formerly known as the Montagnais-Naskapi — of Québec and Labrador.

In Labrador, the Recent Indian tradition begins around 200 AD with the appearance of what archaeologists call the Daniel Rattle complex. Although their artifact styles show no sharp break from those of the earlier Intermediate Indian period, the Daniel Rattle people had a strong preference for making their tools out of Ramah chert, which is a high-quality, translucent chert found only near Ramah Bay in northern Labrador.

We may never fully understand the role that Ramah chert played in the lives of the Daniel Rattle people, but archaeologists such as Stephen Loring of the Smithsonian Institution argue that it must have had considerable spiritual significance. He cites as evidence the long distances northward that some Daniel Rattle people had to travel to acquire it. For a time, the Ramah chert quarries would even have been within the territory of the Dorset Eskimo. Furthermore, the Daniel Rattle people sought Ramah chert despite the existence of perfectly good substitutes much closer to home. And finally, the Daniel Rattle people's Ramah chert tools were sometimes ritually "killed" by putting them in a fire, causing them to shatter. This practice of burning objects of spiritual significance is common to northern Algonkian hunter-gatherers, so it seems likely that the Daniel Rattle people's disposal of Ramah chert objects in this way was by design.

Archaeologists conventionally divide the Recent Indian period in Labrador between the Daniel Rattle complex (200 AD to 1000 AD) and the subsequent Point Revenge complex (1000 AD to 1500 AD). The distinction can be made because Point Revenge projectile points (probably arrowheads) are smaller and narrower than those fashioned by the Daniel Rattle people. Ramah chert, however, continued to be the preferred raw material for tools.

Daniel Rattle (left) and Point Revenge projectile points.
Pointes de projectiles découvertes à Daniel Rattle (à gauche) et Point Revenge.
Courtesy of/Grâce à Newfoundland Museum
PHOTO: Ned Pratt

"Wolverine and Tshiuetinishu" depicts a part of an Innu myth explaining ancient changes in weather patterns.
L'oeuvre « Carcajou et Tshiuetinishu » illustre une partie d'un mythe innu qui explique des changements climatiques survenus dans le passé.
ARTIST/ARTISTE: W.B. Ritchie

Ramah Bay, Labrador.
PHOTO: W.B. Ritchie

Les Indiens récents et les Scandinaves

Ralph Pastore

Le peuple que les archéologues appellent Indiens récents, ou membre de la tradition indienne récente, sont les ancêtres préhistoriques des Béothuks de Terre-Neuve, aujourd'hui disparus, et des Innu, connus autrefois sous le nom de Montagnais-Naskapi, du Québec et du Labrador.

Au Labrador, la tradition indienne récente remonte à v. 200 apr. J.-C., avec ce que les archéologues appellent l'apparition du complexe de Daniel Rattle. Bien que les objets façonnés par les Indiens récents ne montrent pas de différence frappante avec ceux des Indiens intermédiaires qui les ont précédés, les Autochtones de Daniel Rattle avaient une préférence très nette pour les outils fabriqués avec du silex ramah, qui est un silex translucide de haute qualité que l'on trouve uniquement près de la baie Ramah, dans le nord du Labrador.

Nous ne comprendrons peut-être jamais complètement le rôle joué par le silex ramah dans la vie des Indiens de Daniel Rattle, mais, de l'avis de certains archéologues comme Stephen Loring, de la Smithsonian Institution, ce rôle aurait été considérable sur le plan spirituel, comme le prouvent, à son avis, les longs trajets vers le nord que certains Indiens de Daniel Rattle ont dû effectuer pour s'en procurer. Les carrières de silex ramah se seraient même trouvées, à une époque, à l'intérieur du territoire des Esquimaux du Dorset. Qui plus est, les Indiens de Daniel Rattle recherchaient le silex ramah, et ce malgré la présence plus près de chez eux d'autres matériaux tout à fait adaptés. Enfin, les Indiens de Daniel Rattle « tuaient » parfois leurs outils en silex ramah de façon rituelle, en les plaçant dans un feu, ce qui les faisait voler en éclats. Comme cette pratique de brûler des objets qui revêtaient

Like the Daniel Rattle people, the Point Revenge people were hunter-gatherers subsisting on caribou, seals, and other resources of the land and sea. If the Norse encountered people in the course of their trips to Markland (Labrador) after about 1000 AD, they would likely have been members of the Point Revenge complex.

On the island of Newfoundland, Recent Indian terminology is a bit different. The first of the Recent Indian cultures on the island, the Cow Head complex — named for the Cow Head site on the Great Northern Peninsula — is not well understood. Some Cow Head tools resemble those from the interior of Québec/Labrador, so the Cow Head complex in Newfoundland (c. 1 AD to 400 AD) may represent an intrusion of these people from the mainland.

Sometime in the first millennium, perhaps as early as 400 AD or so, we see the beginnings of the Beaches complex, named after the Beaches site on the northeast coast of Newfoundland. Beaches tools were made until about 1000 or 1100 AD, and do not seem to be derived from those of the Cow Head complex. Rather, Beaches stone artifacts resemble those of the Daniel Rattle complex from Labrador — except that Beaches tools tend to be made from local cherts and rhyolites rather than Ramah chert. It is possible that the Beaches complex represents an arrival of people from coastal Labrador.

The subsequent Little Passage complex, named for a site on Newfoundland's south coast, almost certainly is derived from the earlier Beaches complex. Essentially, the difference between the two is that Little Passage projectile points (probably arrowheads) are smaller, much more finely worked than Beaches points, and are often made from fine-grained, blue-green and grey-green cherts. Little Passage artifacts are often found below Beothuk tools, and we can be certain that the Little Passage people were the direct ancestors of the Beothuk. In fact, early Beothuk sites are essentially late Little Passage sites with the addition of European material.

une importance spirituelle était répandue chez les Algonquins chasseurs cueilleurs du Nord, nous pouvons donc présumer que les Indiens de Daniel Rattle se débarrassaient intentionnellement des objets en silex ramah de cette façon.

Les archéologues divisent de façon conventionnelle la période des Indiens récents au Labrador en deux complexes : celui de Daniel Rattle (de 200 apr. J.-C à 1000 apr. J.-C.) et celui, postérieur, de Point Revenge (de 1000 apr. J.-C. à1500 apr. J.-C.). Il est possible de faire une telle division parce que les pointes de projectiles de Point Revenge (probablement des pointes de flèche) sont plus petites et plus étroites que celles que façonnaient les Indiens de Daniel Rattle. Le silex ramah demeurait, par contre, la matière première privilégiée pour la fabrication des outils.

Comme les Indiens de Daniel Rattle, ceux de Point Revenge étaient des chasseurs cueilleurs qui se nourrissaient de caribou, de phoque et d'autres ressources tirées de la terre et de la mer. Si les Vikings ont rencontré des Autochtones au cours de leurs voyages vers le Markland (Labrador) après 1000 apr. J.-C, il se serait certainement agi des Indiens du complexe de Point Revenge.

La terminologie employée pour définir les Indiens récents de l'île de Terre-Neuve est quelque peu différente. Nous ne comprenons pas bien la première des cultures indiennes récentes dans l'île, appelée le complexe de Cow Head d'après le site du même nom le long de la péninsule Great Northern. Comme certains outils de cette culture ressemblent à ceux des Indiens de l'intérieur du Québec et du Labrador, il se pourrait que le complexe de Cow Head à Terre-Neuve (de v. 1 apr. J.-C. à 400 apr. J.-C.) corresponde à une incursion de ces Indiens venus du continent.

À un moment au cours du premier millénaire apr. J.-C., peut-être dès l'an 400, apparaît le complexe de Beaches, qui tire son nom du site Beaches sur la côte nord-est de Terre-Neuve. Les outils des Indiens de ce complexe ont été fabriqués vers 1000 ou 1100 apr. J.-C., et ne semblent pas dérivés de ceux des Indiens du complexe de Cow Head. Les objets en pierre du complexe de Beaches ressemblent plutôt à ceux du complexe de Daniel Rattle au Labrador, à la différence près que les outils du complexe de Beaches sont en général fabriqués avec des silex et des rhyolites locaux, et non avec du silex ramah. Il est possible que le complexe de Beaches corresponde à l'arrivée d'Indiens qui venaient de la côte du Labrador.

Beaches (top row) and Little Passage projectile points.
Pointes de projectiles découvertes à Beaches (rangée du haut) et Little Passage.
Courtesy of/Grâce à Newfoundland Museum
PHOTO: Ned Pratt

A long, linear, raised central hearth associated with early Point Revenge peoples, at Daniel Rattle, Labrador.
Foyer central allongé associé aux peuples primitifs de Point Revenge, Daniel Rattle (Labrador).
Courtesy of/Grâce à Newfoundland Museum
PHOTO: Stephen Loring

As best we can tell, Little Passage people — like the Beothuk and the earlier Beaches people — also lived in small bands and were heavily dependent on seals and caribou. If the Norse at L'Anse aux Meadows met an indigenous group, they were likely late Beaches/early Little Passage people, the ancestors of the Beothuk.

Le complexe de Little Passage, ainsi appelé d'après le site du même nom sur la côte sud de Terre-Neuve, est issu très certainement du complexe antérieur de Beaches. La différence entre les deux complexes réside essentiellement dans le fait que les pointes de projectiles (certainement des pointes de flèche) du complexe de Little Passage sont plus petites et de fabrication plus minutieuse que les pointes du complexe de Beaches, et qu'elles sont en général faites en silex à grains fins de couleurs bleu-vert et gris-vert. Comme nous trouvons souvent les objets façonnés du complexe de Little Passage en dessous d'outils béothuks, nous pouvons affirmer que les Indiens du complexe de Little Passage étaient les ancêtres des Béothuks. En fait, les premiers sites béothuks sont essentiellement les derniers sites du complexe de Little Passage, avec des objets européens en plus.

En autant que nous sachions, les Indiens de Little Passage, comme les Béothuks et les premiers Indiens de Beaches, vivaient en petits groupes et dépendaient énormément du caribou et du phoque. Si les Vikings de L'Anse aux Meadows ont rencontré un groupe autochtone, il se serait agi des derniers Indiens de Beaches ou des premiers Indiens de Little Passage, les ancêtres des Béothuks.

Il est difficile de savoir ce que les groupes d'Indiens récents auraient pensé des Vikings, mais les sagas relatent des faits qui pourraient faire la lumière sur ces rencontres. Ainsi, la *Saga des Groenlandais* raconte l'histoire de Thorvald, le frère de Lief Ericson, qui se rendit au Vinland l'année après Leif. Au cours de l'année qui suivit, pendant qu'ils exploraient le nord de ce qui devait certainement être le Labrador, Thorvald et son expédition trouvèrent neuf hommes en train de dormir sous, d'après la saga, « trois embarcations recouvertes de peau ». Les hommes de Thorvald tuèrent huit de ces hommes. Les Vikings aperçurent plus tard des « monticules » et déterminèrent qu'il s'agissait en fait d'habitations. C'est peut-être pour venger les meurtres perpétrés par les Vikings qu'un autre groupe autochtone qui avait, lui aussi, des embarcations recouvertes de peau, attaqua Thorvald et ses hommes.

Comme la saga parle d'embarcations recouvertes de peau, certains ont prétendu que le peuple en question était des Inuit, qui construisaient des embarcations appelées *umiaqs*, mais il aurait été trop tôt pour qu'une rencontre entre Vikings et Inuit puisse se produire, étant donné que les Inuit sont arrivés au Labrador 200 ans ou plus après. Il est possible que le peuple en question ait été un groupe de Dorsétiens qui restait, mais, compte tenu de la prédominance des Indiens récents le long de la côte du Labrador vers 1000 apr. J.-C., il est fort probable qu'il s'agissait d'Indiens récents qui utilisaient des embarcations recouvertes de peau semblables à celles dont se sont servis plus tard, à l'occasion, les Béothuks et les Mi'kmaq. Si c'est le cas, les monticules dont parle la saga auraient pu être des maisons semi-souterraines, comme celles que les Béothuks construisirent plus tard dans l'île de Terre-Neuve.

La *Saga des Groenlandais* raconte également l'histoire de Thorfinn Karlsefni, un islandais qui dirigea une expédition de colonisation du Vinland, après la découverte

Recent Indian archer.
Courtesy of Government of Newfoundland & Labrador
Indien récent armé d'un arc.
Grâce au Gouvernement de Terre-Neuve et du Labrador
ARTIST/ARTISTE: David Preston Smith

Recent Indian dwelling.
Habitation des Indiens récents.
ARTIST/ARTISTE: W.B. Ritchie

It is difficult to know how Recent Indian groups would have regarded the Norse, but there are accounts in the Sagas that may shed light on these encounters. The *Greenlanders' Saga*, for example, recounts the story of Leif Ericson's brother Thorvald, who went to Vinland the year after Leif. During the following year, while exploring to the north in what was probably Labrador, Thorvald and his party found nine men sleeping under what the Saga describes as "three skin-boats." Thorvald's men killed eight of these people. Later, the Norse saw "mounds," which they identified as dwellings. Perhaps in retaliation for the murders, Thorvald and his men were attacked by another group of people, who also had skin boats.

Because of this Saga's reference to skin boats, some scholars have argued that the people in question were Inuit, who constructed skin boats called *umiaqs* — but this would have been too early for a Norse/Inuit encounter because the Inuit did not arrive in Labrador until 200 or more years later. It is possible that the people in question were a remnant Dorset group, but, given the predominance of Recent Indian people along the Labrador coast in about 1000 AD, it is much more likely that they were Recent Indians using skin boats similar to those occasionally used by the Beothuk and Mi'kmaq at a later date. If so, the mounds referred to in the Saga might have been pit houses, like those the Beothuk later built on the island of Newfoundland.

The *Greenlanders' Saga* also relates the account of Thorfinn Karlsefni, an Icelander who headed a colonizing expedition to Vinland following Leif Ericson's discovery of it. Karlsefni's party met with people who had furs which they wished to trade for iron weapons. (Sixteenth-century records of contacts between Aboriginal Peoples and Europeans also frequently refer to the former's desire to trade furs for cutting and piercing metal tools and weapons.) Karlsefni would only permit a trade for milk, which seems surprising since milk would not have been consumed by New World peoples. The following year, the Saga relates, the Norse killed an aboriginal person, who, they believed, was attempting to steal a weapon. In retaliation, the inhabitants attacked, prompting Karlsefni to give up the attempt to maintain a colony in Vinland.

Eric the Red's Saga refers to the Karlsefni venture as well, with the added detail that the aboriginals wanted red cloth. This, too, has the ring of truth about it. In the 16th and 17th centuries, red objects often had considerable appeal for indigenous people of the northeastern part of the continent. Additionally, this Saga speaks of a clash between indigenous people and the Karlsefni party, which resulted in the death of one of its members, Thorvald Ericson, who was killed by an arrow shot by a "uniped." On the way back to Greenland, it goes on to say, Karlsefni's men met more people on the coast of Markland and kidnapped two boys — this practice of kidnapping indigenous people would reoccur again in the 16th century with depressing frequency.

Recent Indian projectile points.
Pointes de projectiles des Indiens récents.
Courtesy of/Grâce à Ralph Pastore

Caribou: a primary resource of Recent Indian hunters.
Caribou illustrations (pp. 45, 46) courtesy of Government of Newfoundland & Labrador
Caribou : une ressource de première ordre pour les Indiens récents.
Illustrations de caribous (p. 45, 46) grâce au Gouvernement de Terre-Neuve et du Labrador
ARTIST/ARTISTE: David Preston Smith

de ce territoire par Leif Ericson. Le groupe de Karlsefni rencontra des Autochtones qui désiraient troquer des fourrures contre des armes de fer. (Les documents du XVIe siècle qui mentionnent des rencontres entre peuples autochtones et Européens parlent souvent du désir des Autochtones d'échanger des fourrures contre des outils tranchants ou perçants en métal.) Karlsefni n'aurait permis que des échanges contre du lait, ce qui semble surprenant puisque les peuples du Nouveau-Monde ne consommaient pas de lait. L'année suivante, la saga raconte que les Vikings ont tué une personne autochtone qui avait, croyaient-ils, essayé de voler une arme. Pour se venger, les Autochtones ont attaqué, forçant Karlsefni à abandonner toute tentative d'établir une colonie au Vinland.

La *Saga d'Éric le Rouge* mentionne également l'entreprise de Karlsefni en précisant que les Autochtones voulaient de l'étoffe rouge. Ce détail serait plausible, car, aux XVIe et XVIIe siècles, les objets rouges plaisaient énormément aux peuples autochtones du nord-est du continent. La saga relate également une escarmouche entre les Autochtones et le groupe de Karlsefni, qui se serait soldée par la mort de l'un des membres du groupe, Thorvald Ericson, tué par une flèche tirée par un « archer à un pied ». La saga poursuit en expliquant que, sur le chemin du retour vers le Groenland, les hommes de Karlsefni rencontrèrent d'autres Autochtones le long de la côte du Markland et enlevèrent deux garçons; cette pratique d'enlever des Autochtones devait réapparaître au XVIe siècle avec une fréquence décourageante.

C'est peut-être dans les *Annales islandaises datant de 1347* qu'il est fait mention pour la dernière fois d'un voyage au Labrador. L'ouvrage parle d'un navire groenlandais qui est

Perhaps the last mention of contact with Labrador comes from the Icelandic *Annals for 1347*, which refer to a ship from Greenland that had arrived from Markland (Labrador), where it had probably travelled for timber. The reference is silent on the question of contact between aboriginal Labradorians and the Norse.

In summary, the Norse Sagas indicate that the Aboriginal Peoples whom the Vikings met in Vinland wished to trade, but that violence ensued as a result of Norse attacks, or in retaliation for what the Norse saw as thievery by the indigenous people, or from misunderstanding. Although the Sagas were written long after the actual events, and although they are sometimes vague and improbable (the uniped archer, for example), the violent pattern of intercultural relations they outline would often be repeated in the course of European exploratory and fishing/trading voyages of the 16th century.

There is no evidence that the Norse had any recognizable effect on the aboriginal groups they encountered in Newfoundland and Labrador. The Vikings were simply too few in number to deal with the peoples who resisted the invasion of their homeland, and Norse weaponry, although made of iron, was not significantly superior to the stone-tipped arrows and lances wielded by the aboriginal defenders of the New World.

arrivé du Markland (Labrador), où il est probablement allé chercher du bois. Il n'est cependant fait aucune mention de rencontre entre les Autochtones du Labrador et les Vikings.

Somme toute, les sagas vikings révèlent que les peuples autochtones rencontrés par les Vikings au Vinland désiraient faire du troc, mais qu'il y eu des actes de violence commis à cause des attaques des Vikings, ou par vengeance pour ce que ces derniers pensaient être du vol de la part des Autochtones, ou encore à la suite de malentendus. Bien que les sagas aient été écrites très longtemps après les faits, et qu'elles soient parfois vagues et improbables (comme l'archer à un pied, par exemple), le caractère violent des relations interculturelles qu'elles mentionnent se retrouvera au cours des expéditions effectuées au XVIe siècle par les Européens désireux d'explorer, de pêcher et de faire du commerce.

Il n'y a aucune preuve que les Vikings aient eu une influence perceptible sur les groupes autochtones qu'ils ont rencontrés à Terre-Neuve et au Labrador. Ils n'étaient tout simplement pas assez nombreux pour affronter les Autochtones qui s'opposaient à l'invasion de leur territoire, et, s'ils avaient des armes de fer, elles n'étaient pas vraiment supérieures aux flèches à pointe de pierre et aux lances maniées par les défenseurs autochtones du Nouveau-Monde.

Recent Indian flint-knapper.
Flint knapping was the technique used for making projectile points and other stone tools.
Courtesy of Government of Newfoundland & Labrador
Outil de taille du silex des Indiens récents.
On taillait le silex avec cet outil pour fabriquer des pointes de projectiles et d'autres outils de pierre.
Grâce au Gouvernement de Terre-Neuve et du Labrador
ARTIST/ARTISTE: David Preston Smith

Recent Indian Ramah chert projectile point, northern Labrador, c. 800 AD.
Pointe de projectile des Indiens récents en silex de Ramah, nord du Labrador, vers 800.
Courtesy of/Grâce à Newfoundland Museum
PHOTO: Ned Pratt

Skraelings of the Gulf of St. Lawrence: The Proto-historic Mi'kmaq

Kevin McAleese
with contributions from Patricia Allen

Les Skraelings du golfe du Saint-Laurent : Les Mi'kmaq de la protohistoire

Kevin McAleese
avec la contribution de Patricia Allen

The proto-historic Mi'kmaq were likely the Skraelings who met the Vikings in the Canadian Maritimes and the Gulf of St. Lawrence circa 1000 AD. This interpretation is based on information from a variety of sources. Descriptions of the geography and the environment from the Icelandic Sagas indicate the areas the Norse explored. The oral history of present day Mi'kmaq people provides us with knowledge about who their ancestors were. Archaeological research in the region indicates where Aboriginal Peoples were living at the beginning of the millennium. Finally, the archaeology of L'Anse aux Meadows demonstrates that it was a Viking base camp in northwestern Newfoundland from which the Norse explored Vinland, the region where the two cultures met.

Except for northern New Brunswick, much of the Maritimes, including Anticosti Island, is home to butternut and eastern white cedar trees, and to wild grapes. These species are not found anywhere on the island of Newfoundland, nor would they have been a thousand years ago. Since butternut and cedar tree pieces have been recovered at L'Anse aux Meadows, we know the Vikings ventured far south and west to obtain them and to harvest "wine berries" — the wild grapes described in the Sagas. While there, the Norse would have met the resident people, the proto-historic Mi'kmaq.

Les Mi'kmaq de la protohistoire étaient probablement les Skraelings qui ont rencontré les Vikings dans les Maritimes canadiennes et le golfe du Saint-Laurent vers 1000 apr. J.-C. Cette interprétation se fonde sur des informations de sources diverses, à savoir les descriptions de la géographie et du milieu trouvées dans les sagas islandaises et qui indiquent les régions explorées par les Vikings; l'histoire orale des Mi'kmaq d'aujourd'hui qui nous donne des précisions sur leurs ancêtres; les recherches archéologiques effectuées dans la région qui permettent de connaître les endroits où vivaient les Autochtones au début du second millénaire, et enfin l'archéologie de L'Anse aux Meadows qui a prouvé que l'endroit était un camp de base viking dans le nord-ouest de Terre-Neuve, depuis lequel les Vikings allaient explorer le Vinland, la région où les deux cultures se sont rencontrées.

Dans la majeure partie du territoire des Maritimes, y compris l'île d'Anticosti, mais à l'exception du nord du Nouveau-Brunswick, poussent des noyers tendres, des cèdres blancs et des vignes sauvages. Ces essences ne se trouvent nulle part ailleurs que dans l'île de Terre-Neuve, comme c'était aussi sans doute le cas il y a mille ans. Étant donné que des morceaux de noyer et de cèdre blanc ont été découverts à L'Anse aux Meadows, nous savons donc que les Vikings se sont aventurés loin au sud et à l'ouest pour se les procurer et pour cueillir des « baies à vin », les vignes sauvages dont parlent les sagas. Une fois dans la région, ils auraient rencontré le peuple qui y vivait, soit les Mi'kmaq protohistoriques.

C'est en raison de la présence de ces baies que les Vikings appelèrent la région « Vinland ». Le fait de donner un nom à ce « nouveau » territoire était une façon de se l'approprier, mais, pour les Autochtones qui l'habitaient, cette région avait déjà une identité propre : c'était leur terre natale. Nous ne savons pas comment ils appelaient leur territoire, mais la communauté mi'kmaq actuelle de Red Bank s'appelle Metepenagiag en mi'kmaq,

Proto-historic Mi'kmaq dwelling.
Habitation mi'kmaq protohistorique.
ARTIST/ARTISTE: W.B. Ritchie

Butternut, L'Anse aux Meadows, c. 1000 AD.
This butternut is among three recovered at L'Anse aux Meadows. Since butternuts have never grown in Newfoundland, its presence proves that the Vikings travelled further south searching for resources.
Courtesy of Parks Canada
Noix de noyer, L'Anse aux Meadows, vers l'an 1000.
On a retrouvé trois noix comme celle-ci à L'Anse aux Meadows : comme il n'y a pas de noyers à Terre-Neuve, elles sont la preuve que les Vikings ont exploré le sud en quête de ressources.
Grâce à Parcs Canada
PHOTO: Shane Kelly

The presence of berries led the Vikings to call the region Vinland. Naming this "new" territory was part of the process of claiming it. But to the resident Aboriginal Peoples, it already had a different identity — it was their homeland. We do not know what they called their territory, but the contemporary Mi'kmaq community of Red Bank is called Metepenagiag in their language. It is within the tidal estuary of the Miramichi River in New Brunswick, part of Gespegeoag, the northernmost section of the Mi'kmaq Nation's seven traditional districts.

This area was occupied by the proto-historic Mi'kmaq a thousand years ago, and it is along the Gespegeoag coast where the Vikings may have made a landfall. Saga references fit well with its geography and environment, and wild grape vines still grow up and around the butternut trees there.

Aboriginal Peoples — some of whom eventually became the proto-historic Mi'kmaq — moved into the Maritimes about 1500 BC, and were well established there by 700 BC. By the time the Vikings arrived, the people living around Miramichi Bay appear to have had a rich and comfortable way of life that was based on fishing, hunting, and gathering. They moved between the forest and the coast in a balanced and efficient way, season by season. The abundance of food species in Metepenagiag was supporting a growing population.

A thousand years ago, the proto-historic Mi'kmaq lived during the spring and summer in or near a few relatively large villages along the rivers flowing into Miramichi Bay. Their settlements, some near the coast, supported many extended family groups as they were excellent fishing stations, particularly for Atlantic salmon and sturgeon. These fish, and many other local animals and plants, were stockpiled for winter by being smoked or dried, then packed in birchbark boxes and placed in specially prepared underground storage pits.

In addition to the large settlements, there were smaller camps near coastal marshes and wetlands which were used for egg gathering in the spring and summer, or bird hunting and collecting wild fruits and vegetables in the fall. Hunters might have travelled 50 to 60 kilometres from their large riverside camps to these select hunting locations. Over the winter, people moved into more sheltered locations near stored food, from which they could hunt moose, deer, and caribou.

Like other indigenous peoples who practiced hunting and fishing, the proto-historic Mi'kmaq made chipped stone tools such as knives, scrapers, arrows and spear points from materials at hand. Occasionally Ramah chert, obtained from northern Labrador through trade, was used to fashion certain tools. Heavy stone axe heads were manufactured by chipping and grinding; these would have been hafted to wooden handles and used for chopping and splitting wood. The proto-historic Mi'kmaq also fashioned bone and antler implements for

et se trouve à l'intérieur de l'estuaire à marée de la Miramichi au Nouveau-Brunswick, qui fait partie de Gespegeoag, le secteur le plus au nord des sept districts traditionnels de la Nation mi'kmaq.

Les Mi'kmaq protohistoriques occupaient cette région il y a mille ans, et c'est le long de la côte de Gespegeoag que les Vikings auraient débarqué. Les descriptions des sagas correspondent bien à la géographie et au milieu de l'endroit, et il y a encore aujourd'hui des vignes sauvages qui poussent autour des noyers.

Les peuples autochtones, dont certains devaient devenir les Mi'kmaq protohistoriques, sont arrivés dans les Maritimes vers 1500 av. J.-C., et y étaient déjà bien installés en 700 av. J.-C. À l'arrivée des Vikings, il semble que les Autochtones établis le long de la baie Miramichi vivaient confortablement de la pêche, de la chasse et de la cueillette. Ils se déplaçaient entre la forêt et la côte, d'une saison à l'autre, selon un mode de vie équilibré et judicieux. L'abondance des espèces consommables dans Metepenagiag permettait à une population en pleine croissance de vivre.

Il y a mille ans, les Mi'kmaq protohistoriques passaient le printemps et l'été regroupés dans quelques villages relativement grands, ou autour de ceux-ci, le long des rivières qui se jettent dans la baie Miramichi. Leurs établissements, dont certains étaient situés près de la côte, étaient d'excellents campements de pêche, surtout pour la pêche du saumon de l'Atlantique et de l'esturgeon, et pouvaient donc faire vivre un bon nombre de groupes familiaux étendus. Ces poissons et beaucoup d'autres espèces animales et végétales locales étaient fumés ou séchés, puis rangés dans des boîtes d'écorce de bouleau et entreposés pour l'hiver dans des celliers creusés sous terre.

Outre ces grands établissements, les Mi'kmaq montaient également des campements plus petits près des marais et des terres humides le long du littoral, qui leur servaient à ramasser les oeufs au printemps et à l'été, ou à chasser les oiseaux et à cueillir les fruits et les légumes sauvages à l'automne. Les chasseurs pouvaient s'éloigner de 50 à 60 kilomètres de leurs grands campements en bordure de rivière pour se rendre dans ces territoires de chasse de choix. En hiver, les Mi'kmaq se déplaçaient vers les régions plus abritées proches des réserves de nourriture, et d'où ils pouvaient partir chasser l'orignal, le chevreuil et le caribou.

Above: Quartz scraper, New Brunswick, c. 1000 AD.
Courtesy of Heritage Branch, Province of New Brunswick
En haut : Grattoir en quartz, Nouveau-Brunswick, vers l'an 1000.
Grâce à Direction du Patrimoine Nouveau-Brunswick
PHOTO: Ned Pratt

Far left: Small, quartz projectile points, New Brunswick, c. 1000 AD.
Courtesy of Heritage Branch, Province of New Brunswick
À l'extrême gauche : Petites pointes de projectile en quartz, Nouveau-Brunswick, vers l'an 1000.
Grâce à Direction du Patrimoine Nouveau-Brunswick
PHOTO: Ned Pratt

Left: Scraper, New Brunswick, c. 1000 AD.
Courtesy of Heritage Branch, Province of New Brunswick
À gauche : Grattoir, Nouveau-Brunswick, vers l'an 1000.
Grâce à Direction du Patrimoine Nouveau-Brunswick
PHOTO: Ned Pratt

hunting and fishing. For example, barbed bone spears and various types of antler harpoons were used to hunt seals, salmon, sturgeon, and eels.

The proto-historic Mi'kmaq were distinctive in the Atlantic region because of their manufacture and use of ceramics. Unlike many other early people, who used only birchbark or soapstone for containers, the proto-historic Mi'kmaq made pots for both cooking and storing food. The surfaces were decorated by impressing, or stamping, geometric designs into the wet clay before firing. Decorative developments in clay pot manufacturing and changes in other Metepenagiag artifact styles suggest that occasionally the people there were influenced by contact with their neighbours to the southwest. Trade with even more distant people is indicated by imported grave offerings such as tubular pipes, copper beads, and exotic shells. Such items were obtained from peoples who lived as far away as Ohio.

When the Vikings arrived in the Canadian Maritimes, they would have met a strong, healthy people who actively traded with each other and with their neighbours. History suggests the proto-historic Mi'kmaq were not satisfied with the newcomers, and did not encourage them to stay.

Wild geese, a Proto-historic Mi'kmaq resource,
sketched by David Preston Smith.
Courtesy of Government of Newfoundland & Labrador
Des oies sauvages, ressources mi'kmaq protohistoriques,
dessinées par David Preston Smith.
Grâce au Gouvernement de Terre-Neuve et du Labrador

Barbed bone point, Nova Scotia, c. 1000 AD.
Courtesy of © Canadian Museum of Civilization, VIII-B:941
Pointe barbelée en os, Nouvelle-Écosse, vers l'an 1000.
Grâce au © Musée canadien des civilisations, VIII-B:941
PHOTO: Ned Pratt

Projectile point, New Brunswick, c. 1000 AD.
Courtesy of Heritage Branch, New Brunswick
Pointe de projectile, Nouveau-Brunswick, vers l'an 1000.
Grâce à Direction du Patrimoine Nouveau-Brunswick
PHOTO: Ned Pratt

Ground stone axe, New Brunswick, c. 1000 AD.
Courtesy of Heritage Branch, Province of New Brunswick
Hache polie, Nouveau-Brunswick, vers l'an 1000.
Grâce à Direction du Patrimoine Nouveau-Brunswick
PHOTO: Ned Pratt

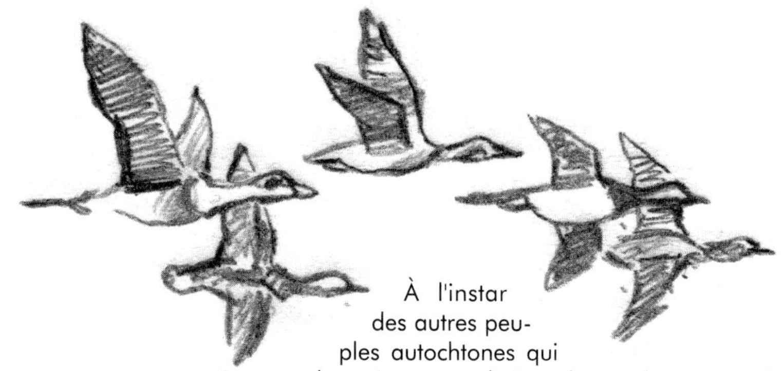

À l'instar des autres peuples autochtones qui chassaient et pêchaient, les Mi'kmaq protohistoriques fabriquaient des outils de pierre - couteaux, grattoirs, pointes de flèche et de lance, etc. - en utilisant les matériaux dont ils disposaient. Ils se servaient parfois de silex ramah, qu'ils se procuraient dans le nord du Labrador en faisant du troc. Les têtes de hache massives étaient taillées dans la pierre et polies, puis fixées à des manches de bois, et servaient à couper et à fendre le bois. Les Mi'kmaq protohistoriques façonnaient également des outils de chasse et de pêche dans de l'os et des bois d'animaux. C'est ainsi qu'ils utilisaient des javelots barbelés en os et différents types de harpons en andouiller pour chasser le phoque et pêcher le saumon, l'esturgeon et l'anguille.

Ils se distinguaient des autres Autochtones de la région de l'Atlantique à la façon dont ils fabriquaient et utilisaient la céramique. Contrairement à beaucoup de peuples anciens qui ne fabriquaient que des contenants en écorce de bouleau ou en stéatite, les Mi'kmaq protohistoriques utilisaient des récipients en poterie pour cuisiner et pour entreposer la nourriture. Ils décoraient la surface de ces récipients en poinçonnant ou estampant des motifs géométriques sur l'argile humide avant la cuisson. L'évolution des motifs décoratifs dans la fabrication de la céramique et les changements constatés dans le style d'autres objets de Metepenagiag laissent à penser que les Mi'kmaq protohistoriques auraient rencontré leurs voisins du sud-ouest et qu'ils auraient subi leur influence. Divers tributs funéraires importés - pipes tubulaires, perles de cuivre et coquillages exotiques - suggèrent qu'ils ont eu des échanges avec des groupes encore plus éloignés, et même des groupes de l'Ohio.

À leur arrivée dans les Maritimes canadiennes, les Vikings auraient donc rencontré un peuple d'Autochtones forts et en bonne santé, qui pratiquaient le troc non seulement entre eux, mais aussi avec leurs voisins. L'histoire suggère que les nouveaux arrivants déplurent aux Mi'kmaq protohistoriques, qui ne les encouragèrent pas à rester.

Vinland's Place in the Viking World

Birgitta Linderoth Wallace

La place du Vinland dans le monde viking

Birgitta Linderoth Wallace

The Norse discovery of Vinland was a natural consequence of Viking expansion into the Western Hemisphere. It occurred near the end of an era we call the Viking Age, a period that was marked throughout by the Norse claiming new territory. The Viking Age began around 790 AD, when Norse pirates first crossed the North Sea to spring sudden attacks on monasteries and churches in the British Isles. The forays soon became widespread and touched large areas of Europe and beyond. By 1050 AD the onslaught was largely over; this date marks the end of the Viking Age.

The Nordic inhabitants of Scandinavia during the Viking Age are often called Vikings, but the term is actually a misnomer when applied so broadly. A *víking*, in fact, is specifically a raider or pirate, and though these were sometimes full-time professions, the majority of Vikings participated in raids only for short periods of their lives and mainly earned their livelihoods from farming. In addition, only men could be Vikings.

The Vikings were not a new people in Scandinavia. Their ancestors had occupied the Nordic countries for millennia; the bulk of the people still living there today are their descendants, though their gene pool has increased through immigration. The Vikings did not refer to themselves as Vikings, rather they used their geographic locators — calling themselves Danes, Goths, or Rogalanders (those from a region of southwestern Norway), for example.

The origin of the word *víking* has not been established with certainty. It seems most likely that it comes from the Latin *vicus* — which means harbour town — since the majority of Viking raids were launched from such settlements. Other suggested origins are *víka* — taking a turn at the oars — or, less likely, *vik*, or bay. "Norse," as used here, is synonymous with Scandinavian or Nordic.

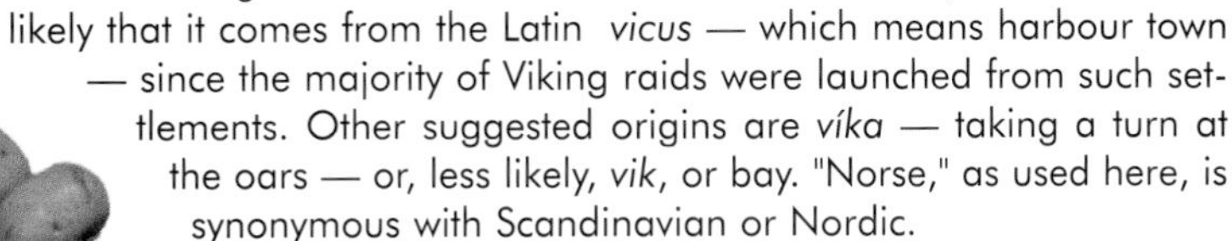

All Vikings spoke more or less the same language, Old Norse, which closely resembles modern Icelandic. Outside Iceland, Old Norse developed into Norwegian, Danish, Faeroese, and Swedish.

A number of factors gave rise to the Viking Age, including demographic trends, the political climate in the Norse

La découverte du Vinland par les Vikings découle de leur expansion dans l'hémisphère occidental, et s'est produite vers la fin d'une période que nous appelons « âge des Vikings » et qui fut marquée par l'appropriation de nouvelles terres par les Scandinaves. Cette période commença vers 790 apr. J.-C., lorsque des pirates vikings traversèrent pour la première fois la mer du Nord pour attaquer par surprise des monastères et des églises des îles Britanniques. Les incursions s'étendirent rapidement pour toucher de vastes régions de l'Europe, et même au delà. Les attaques avaient pratiquement cessé en 1050 apr. J.-C., date qui marque la fin de l'âge des Vikings.

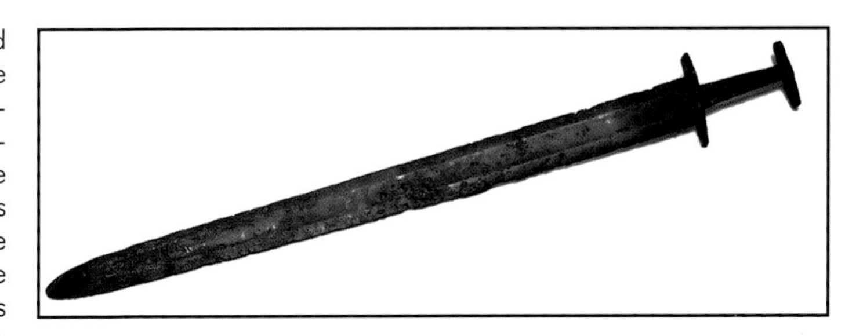

Quand on parle de l'âge des Vikings, Vikings s'entend normalement des habitants de la Scandinavie, mais ce nom, appliqué à un contexte si général, est en fait faux. Un « *víking* » est en effet un pillard ou pirate, et bien que certains Vikings faisaient parfois de la piraterie une profession à plein temps, la majorité d'entre eux ne participaient à des pillages que pendant de courtes périodes, vivant le reste du temps de l'agriculture. Qui plus est, seuls les hommes pouvaient être Vikings.

Les Vikings n'étaient certes pas un nouveau peuple en Scandinavie, puisque leurs ancêtres occupaient déjà les pays du Nord depuis des millénaires. Aujourd'hui, la majeure partie des habitants de ces pays sont leurs descendants, bien que l'immigration soit venue modifier leur patrimoine génétique. Les Vikings ne s'appelaient pas Vikings entre eux, mais utilisaient leurs gentilés et s'appelaient Danois, Goths ou Rogalanders (habitants d'une région au sud-ouest de la Norvège), par exemple.

L' étymologie du mot *víking* n'a pas été établie avec certitude, mais on pense qu'il viendrait probablement du mot latin *vicus*, qui veut dire ville portuaire, étant donné que la majorité des attaques vikings étaient lancées depuis des établissements portuaires. Certains pensent que le mot viendrait de *víka*, qui veut dire « faire son quart à la rame », ou encore, ce qui est moins probable, de *vik* ou baie. Dans le présent document, le terme « viking » est synonyme de scandinave ou nordique.

Iron sword, inlaid with metals, Norway, c. 920 AD.
Courtesy of Bergen Museum, University of Bergen, Norway
Épée en fer, cloisonnée de métaux, Norvège, vers 920.
Grâce au musée de Bergen, université de Bergen, Norvège
PHOTO: M. Vabø

Bronze balance scales (replica), Sweden, c. 920 AD.
Courtesy of Museum of National Antiquities, Sweden
Balance en bronze (réplique), Suède, vers 920.
Grâce à Statens Historiska Museum, Suède

Glass beads, Sweden, c. 1000 AD.
Courtesy of Museum of National Antiquities, Sweden
Perles de verre, Suède, vers l'an 1000.
Grâce à Statens Historiska Museum, Suède

countries, changes in trade patterns, and developments in shipbuilding technology. Near the end of the eighth century, a steadily increasing population in the Norse countries reached a threshold: settlements could no longer provide sustenance for one and all. At the same time, a tense competition for power had developed, with a few chieftains and kings — such as Halfdan the Black and Harald Fairhair in Norway, and Godfred in Denmark — expanding their control over large areas. Rather than surrender power, many lesser chieftains and other magnates preferred to relocate themselves and their people.

The population increase and political strife led to colonization. Within Norway and Sweden, the Norse moved into mountainous and forested regions they had not previously inhabited. Outward emigration led to the conquest of areas in Scotland, England, and Ireland, where the invaders married into the local population. They also settled peacefully in sparsely populated or uninhabited islands such as the Faeroes and Iceland. All of the outward migration was possible because, by the onset of the Viking Age, Viking ships and navigation had been perfected into vessels and seafaring methods that made sailing on the open ocean reasonably safe.

The Norse economy was not a market economy; it was based on exchange of goods — an exchange controlled by kings and magnates who established trading centres close to their estates. Foreign merchants brought their goods and exchanged them for local products. The Viking elite maintained control over trade centres in areas as far away as Germany, Ireland, and Russia.

Tous les Vikings parlaient plus ou moins la même langue, le vieil islandais, qui ressemblait beaucoup à l'islandais moderne. Ailleurs qu'en Islande, le vieil islandais a donné naissance au norvégien, au danois, au féringien et au suédois.

Un certain nombre de facteurs ont contribué à l'apparition de l'âge des Vikings, et notamment les tendances démographiques, le climat politique qui régnait dans les pays du Nord, la transformation de la structure des échanges commerciaux et les progrès des techniques de construction navale. Vers la fin du VIIIe siècle, l'augmentation constante de la population dans les pays du Nord devint telle que les établissements ne pouvaient plus subvenir aux besoins de tous. À la même époque débuta une lutte féroce pour le pouvoir entre quelques chefs et rois, et notamment entre Halfdan le Noir et Harald Fairhair en Norvège, et Godfred au Danemark, qui étendirent leur suprématie sur de larges territoires. Beaucoup de chefs moins importants et d'autres puissants préférèrent déménager, accompagnés de leurs groupes, plutôt que de renoncer au pouvoir.

L'augmentation de la population et les dissensions politiques menèrent donc à la colonisation. Les Vikings allèrent s'installer dans des régions montagneuses et boisées qu'ils n'avaient jamais occupées auparavant à l'intérieur de la Norvège et de la Suède. À l'extérieur, ils partirent à la conquête de territoires en Écosse, en Angleterre et en Irlande, qu'ils envahirent et où ils se marièrent dans la population locale. Ils s'installèrent pacifiquement dans des îles peu peuplées ou inhabitées, et notamment dans les îles Féroé et l'Islande. Cette expansion des Scandinaves fut rendue possible grâce au perfectionnement, au début de l'âge des Vikings, des navires et des méthodes de navigation, qui rendaient le déplacement à la voile en haute mer relativement sûr.

L'économie viking n'était pas une économie de marché, mais reposait sur les échanges, contrôlés par les rois et les puissants qui établissaient les centres commerciaux à proximité

Iron Thor's Hammer ring (replica),
Sweden, c. 920 AD.
Courtesy of Museum of National Antiquities, Sweden
Parure de cou en fer avec marteaux de Thor (réplique),
Suède, vers 920.
Grâce à Statens Historiska Museum, Suède

Silver Valkyrie pendant (replica),
Sweden, c. 920 AD.
Courtesy of Museum of National Antiquities, Sweden
Pendentif d'argent en forme de Valkyrie (réplique),
Suède, vers 920.
Grâce à Statens Historiska Museum, Suède

Copper weathervane, Sweden, c. 1050 AD.
Illustrations indicate that some Viking ships had a triangular vane at the bow. Elaborate inscribed designs suggest they probably had ritual or social meaning.
Courtesy of Parks Canada
Girouette en cuivre, Suède, vers 1050.
Des illustrations ont révélé que certains navires vikings avaient une girouette triangulaire à la proue. Leurs gravures complexes donnent à croire que ces girouettes auraient pu avoir une signification rituelle ou sociale.
Grâce à Parcs Canada
PHOTO: Ned Pratt

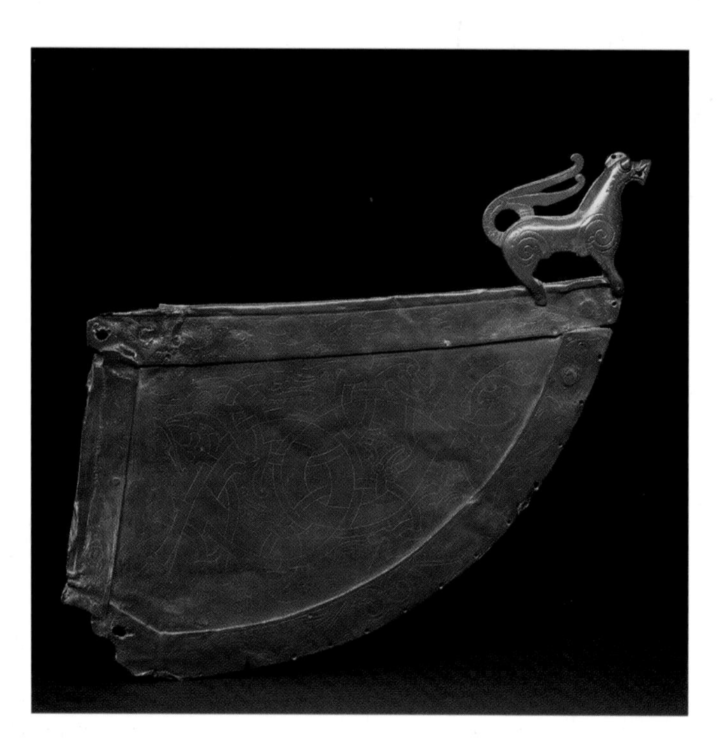

As we've said, the Viking raids, which touched almost all of coastal Europe and even countries as far away as Italy and Greece, have given the Viking Age its name. But its infamy arises because of the nature of recorded history. For the most part, the raids were written about by those most devastated by them. Yet, often as not, raids actually pitted Norse against Norse, either on home territory or as skirmishes between Viking attackers and Norse serving as self-exiled vassals to foreign kings. In 833, for example, Vikings fought on behalf of the Frankish king Lothair against other Vikings on the side of Louis the Pious, Lothair's father (both kings were Christian).

The net effect of the Viking Age was an unprecedented expansion of people from the Nordic countries into the rest of the world. Swedes carried on trade in Russia and Asia Minor. Danes formed "Danelaw" in England, and also spread into Ireland. Norwegians poured into Scotland and Ireland, and Vikings of every ilk raided and traded in southern Europe and northern Africa.

About 825, Shetland and the Faeroes received their share of Norse settlers. From the Faeroes, Iceland was only a two-day sail away; in 871, a steady stream of settlers began to move to Iceland. Until then, Iceland had been uninhabited except for a few Irish hermits. The Norse quickly acquired the entire island, a territory, interestingly, which is about the size of the island of Newfoundland. People and goods did not arrive alone; with them came animals, plants, insects, mice, and rats.

Sailings between Norway and Iceland soon became common. Then, when mariners were blown off course, Greenland was sighted. In 982, Eric the Red was banished for three years from his farm in northwestern Iceland because of "some killings." He used the time to explore the new land to the west. Three years later, in 985, he led a contingent of 25 or 35 ships — the sources vary on how many set out, but only 14 arrived safely. A settlement was begun nevertheless, and it lasted for almost 500 years. Then, about 15 years after the first Greenland settlement was established, the settlers went farther west again, exploring Vinland and establishing a base at L'Anse aux Meadows in Newfoundland.

The voyages to Vinland were voyages of exploration. Acting on the stories of Bjarni Herjolfsson, the Norse sailed along the east coast of North America and discovered three large tracts of land. The farthest north they called Helluland, which means Land of Flat Rocks. A couple of days' sail to the south brought them to Markland, or Land of Woods, an area they found rich in timber. After another few days sailing they reached Vinland, Land of Wine, where they found riches such as wild grapes and valuable woods, with stands of large oaks, maples and other hardwoods prized for construction and shipbuilding. The grapes provided the ability to make wine, and wine was a rare luxury, craved by chieftains who wanted to show their rank and power.

Eric the Red's Saga describes two settlements in Vinland, Straumfjord, which means Fjord of Currents, in the north, and Hóp, The Tidal Lagoon, in the south. Straumfjord was a base from which explorations were launched and to which expedition members returned for the winter. Hóp was a summer

de leurs fiefs. Les marchands étrangers y apportaient leurs produits et les échangeaient contre des produits locaux. L'élite viking contrôlait de tels centres commerciaux dans des pays aussi éloignés que l'Allemagne, l'Irlande et la Russie.

Comme nous l'avons déjà expliqué, ce sont les attaques vikings, qui touchèrent presque toutes les côtes de l'Europe et même l'Italie et la Grèce, qui donnèrent son nom à l'âge des Vikings. Tout le caractère abject de cette période réside dans la façon dont les faits historiques ont été rapportés. Ce sont en effet, dans la majorité des cas, les victimes qui ont le plus souffert de ces attaques qui les ont racontées par écrit. Pourtant, la plupart du temps, il s'agissait de Vikings s'attaquant mutuellement, soit sur leur territoire natal, soit au cours d'escarmouches entre des attaquants vikings et des vassaux, eux aussi vikings, exilés volontaires liés à des rois étrangers. C'est ainsi que, en 833, des Vikings se battirent au nom du roi francique Lothaire contre d'autres Vikings, aux côtés de Louis le Pieux, père de Lothaire (les deux rois étaient chrétiens).

L'âge des Vikings eut pour ultime conséquence une expansion sans précédent des peuples des pays du Nord dans le reste du monde. Les Suédois faisaient du commerce en Russie et en Asie mineure. Les Danois formèrent le « pays des Danois » en Angleterre et s'étendirent jusqu'en Irlande. Les Norvégiens déferlèrent sur l'Écosse et l'Irlande, et des Vikings de tout acabit lançaient des attaques et pratiquaient le troc dans le sud de l'Europe et en Afrique du Nord.

Vers 825, ce fut au tour des îles Shetland et Féroé de recevoir des colons vikings. Comme l'Islande n'était qu'à deux jours de voile des îles Féroé, un flot continu de colons commença à arriver en 871 dans l'île qui était inhabitée, à l'exception de quelques ermites irlandais. Les Vikings s'approprièrent rapidement l'île toute entière, qui est, fait très intéressant, à peu près de la même taille que l'île de Terre-Neuve. Les colons apportèrent avec eux, non seulement leurs biens, mais aussi animaux, plantes, insectes, souris et rats.

Les voyages à la voile entre la Norvège et l'Islande devinrent vite chose courante. Un jour, détournés de leur cap par le vent, des navigateurs aperçurent le Groenland. En 982, Éric le Rouge, banni pendant trois ans de sa ferme dans le nord-ouest de l'Islande pour « divers meurtres », se mit à explorer ce nouveau territoire à l'ouest. Trois ans plus tard, en 985, il dirigea une expédition de 25 ou de 35 navires – les sources varient quant

Silver crucifix (replica), Sweden, c. 950 AD.
Excavated from a wealthy woman's burial chamber, this crucifix is the oldest known Scandinavian representation of the crucifixion. It marks a significant change in Viking spiritual practices.
Courtesy of Museum of National Antiquities, Sweden
Crucifix en argent (réplique), Suède, vers 950.
Exhumé de la chambre funéraire d'une femme bien nantie, ce crucifix est la plus ancienne reproduction de la crucifixion que l'on ait retrouvée en Scandinavie. Elle témoigne d'un changement majeur dans les pratiques spirituelles des Vikings.
Grâce à Statens Historiska Museum, Suède

Iron shield boss, Norway, c. 950 AD.
Courtesy of Bergen Museum, University of Bergen, Norway
Ombon de bouclier en fer, Norvège, vers 950.
Grâce au musée de Bergen, université de Bergen, Norvège
PHOTO: M. Vabø

Glass beaker (replica), Sweden, c. 850 AD.
Courtesy of Museum of National Antiquities, Sweden
Verre à boire (réplique) Suède, vers 850.
Grâce à Statens Historiska Museum, Suède

camp where they harvested timber and collected grapes. *The Greenlanders' Saga* has combined Straumfjord and Hóp into one settlement, *Leifsbúðir*, or Leif's Camp.

The Vinland voyages took place early in the 11th century, and they never led to colonization. Their leaders were members of the family of Eric the Red who went with work crews to explore and exploit. L'Anse aux Meadows, on the Great Northern Peninsula in Newfoundland, is, we believe, Straumfjord, the base where these explorers could pass the winter after spending the summers reconnoitering, cutting lumber, and picking grapes. So much effort went into building the site at L'Anse aux Meadows, so many people were stationed there, and it corresponds in so many details to Straumfjord, that it cannot be an anonymous site. It must, in fact, be the Straumfjord base — the place from which Leif Ericson, Thorvald, Thorfinn Karlsefni, Gudrid, and Freydis explored Vinland.

Straumfjord/L'Anse aux Meadows is located on the exposed coastline of Epaves Bay. It consists of a grouping of three large halls and smaller huts, which had room for 70 to 90

people. The absence of byres or barns shows that they were not normal family homes, such as those in Greenland. Instead it is the kind of Vinland exploration base described in the Vinland Sagas. People were here only in the winter, and left for other areas in the summer.

One of these summer voyages, we know, took them east to Notre Dame Bay where one member of the party made a fire flint from local jasper and brought it back to L'Anse aux Meadows. Other voyages went southward to Hóp, which was probably located on the Gulf shores of New Brunswick, where the Norse found tidal lagoons, valuable hardwood, butternuts, and wild grapes.

The occupants of L'Anse aux Meadows/Straumfjord were mostly men, though a few women came along to cook, clean, and look after everyone's clothes. Most of the men spent

au nombre exact – dont seulement 14 arrivèrent à bon port. Cela ne l'empêcha pas de créer un établissement qui devait survivre pendant presque 500 ans. Quelque 15 ans après la création du premier établissement au Groenland, les colons s'aventurèrent plus à l'ouest; ils explorèrent le Vinland et établirent un poste à L'Anse aux Meadows, à Terre-Neuve.

Les expéditions au Vinland étaient en fait des voyages d'exploration. Guidés par les récits de Bjarni Herjolfsson, les Vikings naviguèrent le long de la côte orientale de l'Amérique du Nord et découvrirent trois vastes étendues de terre. Ils nommèrent la plus septentrionale le Helluland, qui veut dire « pays des roches ». Deux jours plus tard environ, ils arrivèrent plus au sud dans le Markland, ou « pays des bois », territoire riche en forêts. Après quelques autres jours de navigation, ils atteignirent le Vinland, ou « pays du vin », et y découvrirent des ressources inestimables, plus particulièrement des vignes sauvages et des forêts de chênes et d'érables imposants et d'autres feuillus, dont ils avaient besoin pour la construction de leurs habitations et de leurs navires. Les vignes permettaient de faire du vin, qui était un produit de luxe rare, fort prisé des chefs désireux de montrer leur grade et leur pouvoir.

La Saga d'Éric le Rouge décrit deux établissements au Vinland, celui de Straumfjord, qui veut dire « fjord des courants », dans le nord, et Hóp ou « lagune de marée », dans le sud. C'était de l'établissement de Straumfjord que partaient les membres des expéditions et c'était à cet endroit qu'ils revenaient pour passer l'hiver. Hóp était un camp estival où les Vikings coupaient le bois et cueillaient le raisin. Dans la Saga des Groenlandais, Straumfjord et Hóp ne sont plus qu'un seul et même établissement, Leifsbúðir ou « camp de Leif ».

Les expéditions au Vinland furent entreprises au début du XIe siècle et ne menèrent jamais à la colonisation. Leurs chefs étaient des membres de la famille d'Éric le Rouge qui partit, accompagné de travailleurs, avec l'intention d'explorer le territoire et d'en exploiter les ressources. L'Anse aux Meadows, le long de la péninsule Great Northern à Terre-Neuve, est, croit-on, Straumfjord, le camp où ces explorateurs passaient l'hiver après des étés occupés à reconnaître le terrain, à couper du bois et à cueillir du raisin. Tant d'efforts ont été déployés pour aménager le site à L'Anse aux Meadows, qui ressemble en tellement de points à Straumfjord, et tant de Vikings y étaient en poste qu'il ne peut s'agir d'un camp ordinaire. Ce ne peut qu'être le camp de Straumfjord, d'où Leif Ericson, Thorvald, Thorfinn Karlsefni, Gudrid et Freydis sont partis explorer le Vinland.

Straumfjord/L'Anse aux Meadows se situe sur la côte exposée de la baie Epaves et consiste en un regroupement de trois grandes maisons et de maisons plus petites en mottes de gazon qui pouvaient abriter de 70 à 90 personnes. L'absence d'étables indique qu'il ne s'agissait pas d'habitations familiales normales, comme celles du Groenland. C'est plutôt le genre de

Viking re-enactor at L'Anse aux Meadows National Historic Site.
Courtesy of Parks Canada
Personnage représentant un Viking, au Lieu historique national de L'Anse aux Meadows.
Grâce à Parcs Canada
PHOTO: Shane Kelly

Sod house at L'Anse aux Meadows National Historic Site.
Courtesy of Parks Canada
Habitations de terre au Lieu historique national de L'Anse aux Meadows.
Grâce à Parcs Canada

the summers away from the site. During the winters at L'Anse aux Meadows, the men's activities included carpentry, iron making, smithing, and boat repair. Carpentry and iron production were needed to provide new parts for a small boat, which we know was repaired inside a shed built onto the largest hall.

Straumfjord/L'Anse aux Meadows was used for no more than 10 or 20 winters. After it was abandoned, Norse from Greenland continued going to Markland for lumber, but Vinland was too far away, and the Greenland settlement too small to provide sufficient number of settlers for a new settlement to become viable. No doubt another contributing factor was that the voyage to Vinland was as long as the one to Europe, and just as dangerous. And although Vinland had wine and lumber and pastureland, lumber and wine could just as easily be brought in from Europe, and pasture was plentiful in Greenland. Europe also had many commodities not available in Vinland: bronze and brass, silver and gold, glass, spices, fine textiles, flour. And, of course, family and friends.

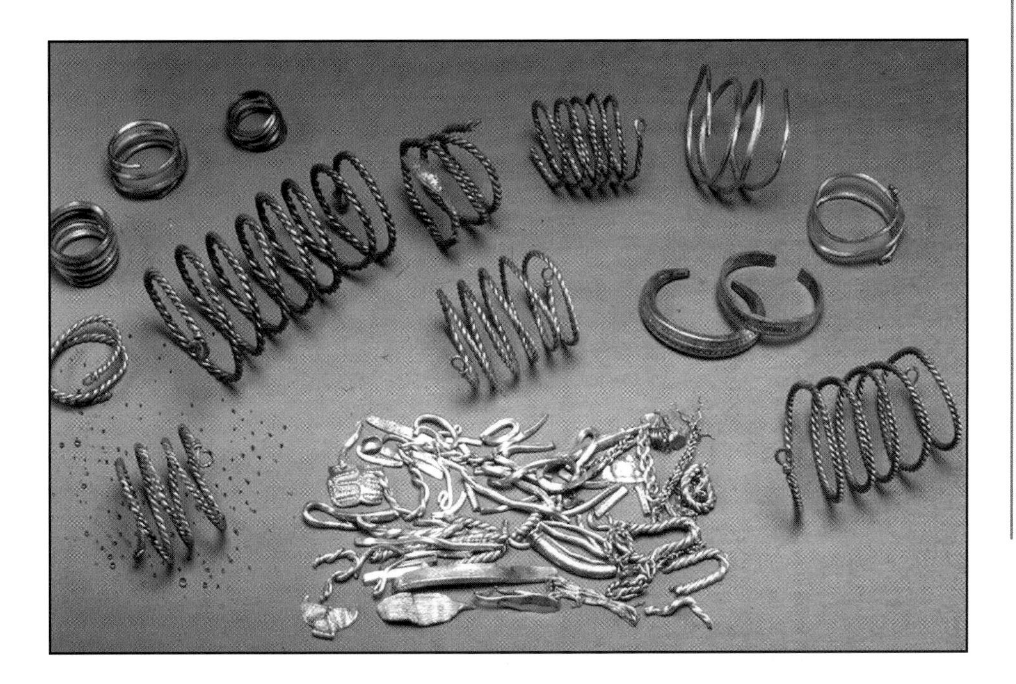

camp d'exploration qui est décrit dans les sagas du Vinland. Les Vikings n'y vivaient que l'hiver et partaient à la découverte de nouvelles contrées en été.

Nous savons que l'un de ces voyages estivaux les conduisit à l'est jusqu'à la baie Notre Dame, où l'un des membres de l'expédition façonna une pierre à feu dans du jaspe local et la rapporta à L'Anse aux Meadows. D'autres expéditions menèrent les Vikings au sud, à Hóp, qui devait probablement se trouver le long du littoral du golfe, au Nouveau-Brunswick, où ils découvrirent des lagunes à marée, des feuillus précieux, des noyers et des vignes sauvages.

Les occupants de L'Anse aux Meadows/Straumfjord étaient des hommes pour la plupart, bien que quelques femmes les avaient accompagnés pour faire la cuisine et le ménage et entretenir les vêtements de tous. La grande majorité des hommes ne passaient pas l'été au camp. En hiver, à L'Anse aux Meadows, ils s'occupaient à diverses activités : travail du bois, fabrication et travail du fer et réparation des navires. Les Vikings ont fabriqué de nouvelles pièces en bois et en fer pour un petit bateau qui fut réparé, nous le savons, à l'intérieur d'une remise qui avait été ajoutée à la plus grande maison.

Le poste de Straumfjord/L'Anse aux Meadows fut abandonné après 10 à 20 hivers d'occupation tout au plus. Les Vikings continuèrent d'aller s'approvisionner en bois au Markland depuis le Groenland, mais le Vinland était très éloigné et l'établissement du Groenland trop petit pour pouvoir envoyer un nombre suffisant de colons et y établir une nouvelle colonie viable. Autre facteur important : c'était tout aussi long et dangereux de se rendre en bateau au Vinland que de traverser la mer pour aller en Europe. Il y avait bien du vin, du bois et des prés au Vinland, mais il y avait aussi beaucoup de belles étendues herbeuses au Groenland, et il était tout aussi facile d'importer du bois et du vin d'Europe... et puis en Europe, il y avait des parents et des amis et beaucoup de ressources que ne possédait pas le Vinland – bronze, cuivre, argent, or, verre, épices, tissus délicats et farine.

Bronze key (replica), Sweden, c. 850 AD.
Courtesy of Museum of National Antiquities, Sweden
Clé de bronze (réplique), Suède, vers 850.
Grâce à Statens Historiska Museum, Suède

Hacksilver, Sweden, c. 1000 AD.
Courtesy of Museum of National Antiquities, Sweden
Fragments d'argent en vrac, Suède, vers l'an 1000.
Grâce à Statens Historiska Museum, Suède

Vikings in the Far North

Peter Schledermann

Two important elements of the Norse economy in Greenland were manufacturing homespun woollen cloth and securing valuable walrus tusks and hides, narwhal horns, polar bear skins, the occasional falcon — items indispensable for maximizing "profit" in trade with Norway and making tithe payments to the Church. The principal hunting area was called Nordsetur, which is believed to encompass the present-day Disko Bay region.

For more than 200 years, from approximately 1010 AD to 1230 AD, Norse activities in Nordsetur remained uncontested, except for possible competition between Norse hunting parties — a situation far different from Norse experiences in Markland and Vinland, where resistance by Dorset Palaeoeskimos and Aboriginal Peoples known to archaeologists as Recent Indians prevented the establishment of permanent, rather than seasonal, settlements. In Greenland, Nordsetur remained the exclusive hunting territory of Norsemen until the first half of the 13th century, when the first groups of Thule-culture Inuit arrived from the north.

About the time of Norse expansion westward from Iceland to Greenland, cultural developments in Alaska and the Bering Sea region culminated in an eastward migration of a Neoeskimo people we refer to as the Thule Inuit. The name of this Arctic culture was based on the first scientific discovery of their ancient artifacts in the Thule District of North Greenland. Expert sea-mammal hunters, Thule-culture Inuit were superbly adapted to the Arctic environment. From large skin-covered boats called *umiaqs* they pursued bowhead whales on the open sea. They hunted walrus and seals from sleek sealskin-covered kayaks and traversed the winter landscape with dog-drawn sleds.

In what appears to have been a fairly rapid migration across the Canadian Arctic, the Thule Inuit reached the High Arctic and north Greenland sometime around 1200 AD. Along the way, and possibly in the Smith Sound region, they may have encountered groups of Dorset people from whom they obtained meteoritic iron and knowledge of its source location in the Cape York area north of Melville Bay.

In 1824, a small, flat stone with runic inscriptions was found on the island of Kingigtorssuaq, north of Upernavik, on the west coast of Greenland. Rune experts believe that the inscription dates to about the middle of the late 13th century. If this date is reasonably accurate, it means Norse hunters were pushing north from Nordsetur and were present in the region just south of Melville

Far right: Ivory needle case, Ellesmere Island, c. 1250 AD.
Courtesy of © Canadian Museum of Civilization, SgFm-4:1439a
À l'extrême droite : Étui à aiguilles en ivoire, Île Ellesmere, vers 1250.
Grâce au © Musée canadien des civilisations, SgFm-4:1439a
PHOTO: Ned Pratt

Harpoon head from Skraeling Island, c. 1250 AD.
Courtesy of ©Canadian Museum of Civilization, SfFk-4:1235
Pointe de harpon, Île Skraeling, vers 1250.
Grâce au © Musée canadien des civilisations, SfFk-4:1235
PHOTO: Ned Pratt

Les Vikings dans le Grand Nord

Peter Schledermann

L'économie viking au Groenland se résumait à deux grandes activités : la fabrication d'étoffe de laine grossière et l'approvisionnement en défenses et en peaux de morse, en défenses de narval, en peaux d'ours polaire, et parfois en faucons, articles précieux qui permettaient de maximiser les « profits » dans les échanges commerciaux avec la Norvège et de payer la dîme à l'Église. Le principal territoire de chasse des Vikings s'appelait le Nordsetur, qui correspondait, semble-t-il, à la région actuelle de la baie Disko.

Pendant plus de 200 ans, soit d'environ 1010 apr. J.-C. à 1230 apr. J.-C., les Vikings se livrèrent à leurs activités dans le Nordsetur sans rencontrer aucune opposition, à l'exception peut-être de rivalités entre groupes de chasseurs vikings, ce qui contraste avec ce qu'ils vécurent au Markland et au Vinland, où la résistance des Paléoesquimaux du Dorset et des Autochtones appelés par les archéologues Indiens récents les contraint à n'aménager que des établissements saisonniers. Le Nordsetur demeura le territoire de chasse exclusif des Vikings jusqu'à la première moitié du XIIIe siècle, c'est-à-dire jusqu'à l'arrivée des premiers groupes d'Inuit de la culture du Thulé en provenance du nord.

À peu près à l'époque de l'expansion des Vikings de l'Islande vers l'ouest, soit le Groenland, les changements culturels qui se produisirent en Alaska et dans la région de la mer de Béring aboutirent à la migration vers l'est des Néo-esquimaux ou Inuit du Thulé. Cette culture arctique est ainsi appelée du nom de l'endroit où on a fait la première découverte scientifique d'objets lui appartenant : le district de Thulé, dans le nord du Groenland. Les Inuit de la culture du Thulé, chasseurs de mammifères marins chevronnés, s'étaient remarquablement bien adaptés au milieu arctique. À bord d'embarcations recouvertes de peaux appelées *umiaqs*, ils chassaient la baleine boréale en haute mer. Ils chassaient également le morse et le phoque dans des kayaks effilés recouverts de peaux de phoque et parcouraient le paysage hivernal en traîneaux à chiens.

Après ce qui semble avoir été une migration relativement rapide à travers l'Arctique canadien, les Inuit du Thulé arrivèrent dans le Grand Nord et le nord du Groenland vers 1200 apr. J.-C. Il se pourrait qu'ils aient rencontré en chemin, peut-être dans la région du détroit de Smith, des groupes de Dorsétiens auprès desquels ils auraient obtenu du fer météorique et qui leur auraient indiqué où en trouver, soit dans la région du cap York, au nord de la baie de Melville.

Bay during the early period of contact with Thule-culture Inuit. The Norsemen referred to the newcomers as Skraelings; in a most prophetic way, it was this name that led to the discovery of the first solid evidence of a Norse presence in the High Arctic, far beyond their regular hunting areas in Nordsetur.

During the winter of 1898-99, the Norwegian explorer Otto Sverdrup and his men wintered aboard the *Fram* off the central east coast of Ellesmere Island. Expedition members visited islands at the entrance to Alexandra Fjord, naming the largest Skraeling Island. In 1977 I investigated the island, reasoning that the presence of ancient Inuit sod house ruins must have led Sverdrup to give the island the old Norse name for Aboriginal Peoples (Indians, Dorset or Inuit). The discovery of more than 40 house ruins on the island confirmed that assumption.

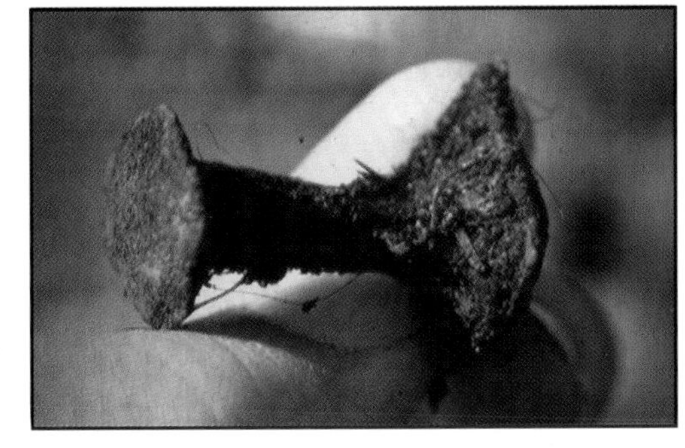

On a blustery August day in 1978, excavation of House 6 on Skraeling Island had reached the dwelling's main floor when my trowel struck something solid near a stone-lined meat pit. The object turned out to be a rusted lump of medieval chain mail; a short while later a Viking ship rivet was uncovered near the bottom of the meat pit. During the following field seasons, Skraeling Island house ruins yielded a substantial number of Norse artifacts, including additional ship rivets, two sections of woven woollen cloth, a carpenter's plane, iron wedges, single chain mail links, knife blades, and numerous pieces of wrought iron.

The Thule-culture artifacts we found at the same site were equally interesting, because they pointed to a very recent arrival of these people from Alaska. In fact, later analyses of a clay bowl fragment indicated that the vessel had been made in Alaska. Subsequent radio-carbon dating of materials from the house ruins suggest that the Skraeling Island winter

On a découvert en 1824 dans l'île de Kingittorsuaq, au nord d'Upernavik, sur la côte ouest du Groenland, une petite pierre plate qui portait des inscriptions runiques. D'après des experts de l'écriture runique, l'inscription date approximativement du milieu de la fin du XIIIe siècle. Si cette estimation est passablement exacte, cela veut dire que les chasseurs vikings s'aventuraient vers le nord depuis le Nordsetur et qu'ils étaient présents dans la région juste au sud de la baie de Melville au moment des premières rencontres avec les Inuit de la culture du Thulé. Les Vikings appelèrent les nouveaux venus Skraelings; plus prophétiquement, ce fut ce nom qui mena à la découverte de la première preuve solide de la présence de Vikings dans le Grand Nord, bien au delà de leurs territoires habituels de chasse dans le Nordsetur.

L'explorateur norvégien Otto Sverdrup et ses hommes passèrent l'hiver de 1898-1899 à bord du *Fram*, au large de la côte centrale orientale de l'île d'Ellesmere. Les membres de l'expédition visitèrent les îles à l'entrée du fjord Alexandra, et appelèrent la plus grande « île Skraeling ». Je me suis rendu dans cette île en 1977, présumant

Skraeling Island.
L'Île Skraeling.
Courtesy of/Grâce à Peter Schledermann

Kingigtorssuaq Runestone (replica),
Greenland, c. 1300 AD.
Found beside three cairns, this rune tablet confirms that Vikings voyaged to these northern hunting grounds. It reads: "Erling Sigvartson, Bjarne Thordarson and Enride Oddson Saturday before Rogation Day (25th April) raised these cairns."
Courtesy of Greenland National Museum & Archives
Pierre runique de Kingigtorssuaq (réplique),
Groenland, vers 1300.
Découverte près de trois cairns, cette tablette prouve que les Vikings se rendaient chasser dans ces territoires nordiques. On peut y lire: « Erling Sigvartson, Bjarne Thordarson et Enride Oddson ont érigé ces cairns la veille du dimanche des Rogations (le 25 avril). »
Grâce au Musée national et Centre d'archives du Groenland
PHOTO: Ned Pratt

Viking iron ship rivet, c. 1260.
Found in a Thule-culture winter house ruin on Skraeling Island.
Rivet de navire viking en fer, vers 1260.
Découvert dans les ruines d'une habitation d'hiver de la culture du Thulé, sur l'île Skraeling.
Courtesy of/Grâce à Peter Schledermann

Norse carpenter's plane, c. 1275.
Found on Skraeling Island.
Rabot de charpentier scandinave, vers 1275.
Découvert dans l'île Skraeling.
Courtesy of/Grâce à Peter Schledermann

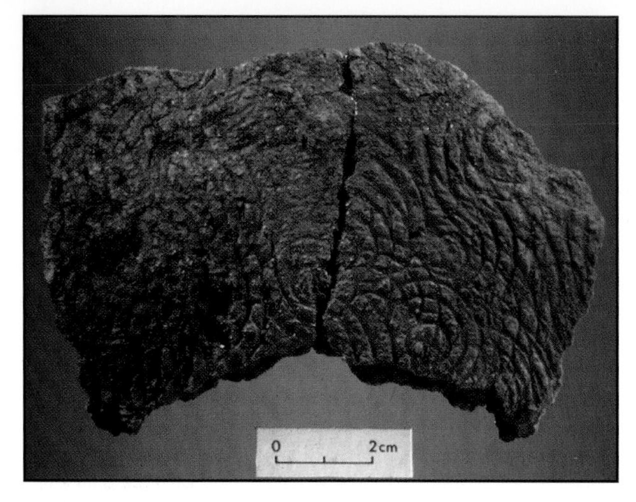

settlement was occupied by Thule Inuit in possession of Viking material between 1250 and 1300 AD. The presence on the house floors of both Norse and Inuit artifacts left no doubt that the occupants had been in possession of both. While a few of the Norse pieces had been re-shaped and used as harpoon points and knife blades, most of them were unaltered.

Before we began excavating the Skraeling Island house ruins, the only Norse finds in the Far North had been made by the Danish archaeologist, Erik Holtved between 1935 and 1937 in Thule-culture house ruins on a small island (Ruin Island) on the Greenland side of Smith Sound. Although Holtved correctly estimated the Ruin Island occupation to have taken place toward the end of the 13th century, subsequent investigators, relying on radiocarbon dates generated many years later from materials from the house ruins, were convinced that the houses were occupied as early as the 10th century. They believed that the Norse artifacts were deposited in the dwellings several hundred years later.

The assumption that Thule Inuit groups arrived in northern Greenland prior to the establishment of Norse settlements in southern Greenland remained fairly entrenched in scientific and popular writings about Arctic prehistory until excavations on Skraeling Island verified Holtved's original assessment of the timing of the Ruin Island occupation.

The large number of Norse artifacts located on Skraeling and Ruin islands in the Smith Sound region strongly suggests that the Norse were actually present in this area at a very early stage of Norse/Inuit interaction. One of the finds perhaps most indicative of direct Inuit/Norse contact on Skraeling Island is a small wooden carving showing facial features of a distinctly non-Inuit person, possibly carved by one of the Inuit occupants of the house in which it was found.

Scattered Norse finds have been made in the Arctic, well beyond the Smith Sound region, including pieces of wrought and meteoritic iron from Thule sites on the west coast of Hudson Bay, a smelted iron fragment and a portion of a cast bronze bowl from Devon Island, pieces of smelted copper and a bronze pendant from Bathurst Island, a bronze balance-arm from the west coast of Ellesmere Island, and a wooden figurine from the south coast of Baffin Island. These items are believed to have reached these locations through indirect contact and trade among Inuit groups and not as a result of direct contact with Norsemen.

Along the west coast of Greenland there are dozens of Norse finds from ancient Inuit sites. Holtved's excavation on the Nûgdlît site, north of the

Sealskin bag, c. 1280 AD.
Found in a Thule-culture winter house ruin on Skraeling Island.
Sac de peau de phoque, vers 1280.
Découvert dans les ruines d'une habitation d'hiver de la culture du Thulé, sur l'île Skraeling.
Courtesy of/Grâce à Peter Schledermann

Decorated clay sherd, c.1250.
Found in Thule-culture winter house ruin on Skraeling Island. Analysis indicates the pottery was made in Alsaska.
Éclat de poterie décoré, vers 1250.
Découvert dans les ruines d'une habitation d'hiver de la culture du Thulé, sur l'île Skraeling. Une analyse a révélé que la poterie aurait été façonnée en Alaska.
Courtesy of/Grâce à Peter Schledermann

Thule skin mitten, c. 1280 AD.
Found in the winter-house excavations on Skraeling Island.
Mitaine de cuir (thulé), vers 1280.
Découverte au cours de fouilles à la maison d'hiver de l'île Skraeling.
Courtesy of/Grâce à Peter Schledermann

que c'était la présence de ruines d'anciennes maisons de terre inuit qui avait incité Sverdrup à baptiser l'île du nom donné jadis par les Vikings aux Autochtones (Indiens, Dorsétiens ou Inuit). La découverte d'une quarantaine de ruines de maisons dans l'île ne fit que confirmer mon hypothèse.

Par une journée venteuse d'août 1978, alors que les fouilles de la maison 6 dans l'île Skraeling avaient atteint les planchers de l'habitation, je heurtais avec ma truelle quelque chose de dur, près d'une cache à viande tapissée de pierres. C'était un morceau rouillé de cotte de maille médiévale; peu après, un rivet de navire viking fut découvert près du fond de la cache. Au cours des fouilles subséquentes effectuées dans les ruines de l'île Skraeling, un grand nombre d'objets vikings furent mis au jour, entre autres, d'autres rivets de navires vikings, deux morceaux d'étoffe de laine tissée, un rabot de charpentier, des coins en fer, des mailles simples de cotte de maille, des lames de couteau et une grande quantité de morceaux de fer forgé.

Les objets de la culture du Thulé que nous avons découverts sur le même site étaient tout aussi intéressants parce qu'ils indiquaient une arrivée très récente des Thuléens en provenance de l'Alaska. En fait, des analyses subséquentes d'un fragment de bol en argile révélèrent que le récipient avait été fabriqué en Alaska. La datation au carbone 14 de matériaux provenant des ruines de la maison devait révéler plus tard que l'établissement hivernal de l'île Skraeling était occupé entre 1250 et 1300 apr. J.-C. par des Inuit du Thulé

Thule military base, yielded two Norse iron blades, and his excavations of the Umànaq site, south of Nûgdlît, produced seven pieces of Norse origin. At Cape Seddon, near the southern limits of Melville Bay, four chain mail links and one ship rivet were discovered in winter-house ruins thought to be from the earliest Thule-culture period.

The location of Norse finds on Thule sites in western Greenland led the Danish archaeologist Therkel Mathiassen, in 1931, to pronounce an Inugsuk phase of the Thule culture, which he believed was indicative of a period of substantial Inuit/Norse contact. More recent studies have concluded that there is in fact surprisingly little evidence of direct Inuit/Norse contact along the west coast of Greenland.

In order for trade to have been an incentive for contact between the Norse and the Inuit, both groups must have been able to offer goods deemed to be worth trading. Herein may lie one explanation for why there seems to be so little evidence of contact between the two peoples. In return for ivory from the Inuit, the Norse could have offered pieces of iron, wood, and perhaps a few curios such as chain mail rings and chess pieces. In such arrangements the Norse would have been at a disadvantage: not only were they themselves badly in need of iron and wood, but the Inuit were quite familiar with both kinds of materials anyway, as they had used driftwood and meteoritic iron from the day they set foot in Greenland.

High Arctic encounters between Norsemen, Thule Inuit, and perhaps Dorset people, were undoubtedly rare and occurred possibly on only one or two occasions. The great distances and the dangerous, ice-choked waters between the Norse settlements and the Smith Sound region would not have been conducive to regular trade voyages. The Skraeling Island evidence points far more in the direction of a single encounter between Inuit and a daring group of Norsemen exploring far north of their usual hunting territories.

en possession de matériaux vikings. Il ne fait aucun doute, compte tenu de la présence sur le sol de la maison d'objets viking et inuit, que les occupants étaient en possession d'objets des deux origines. Si quelques objets vikings avaient été transformés et façonnés en pointes de harpon et en lames de couteau, la plupart étaient demeurés intacts.

Avant les fouilles des ruines de la maison de l'île Skraeling, les seuls objets vikings trouvés dans le Grand Nord avaient été mis au jour par l'archéologue danois Erik Holtved, entre 1935 et 1937, dans les ruines d'une maison thuléenne dans une petite île, l'île Ruin, située dans la baie Smith, le long de la rive groenlandaise. Bien que Holtved avait estimé avec justesse que l'occupation de l'île Ruin remontait à la fin du XIIIe siècle, des chercheurs, se fiant à la datation au carbone 14 effectuée bien longtemps après, de matériaux provenant des ruines de la maison, étaient persuadés que les maisons avaient dû être occupées dès le Xe siècle, et que les objets vikings y avaient été déposés plusieurs centaines d'années plus tard.

L'hypothèse voulant que les groupes d'Inuit du Thulé étaient arrivés dans le nord du Groenland avant la fondation par les Vikings d'établissements dans le sud du Groenland

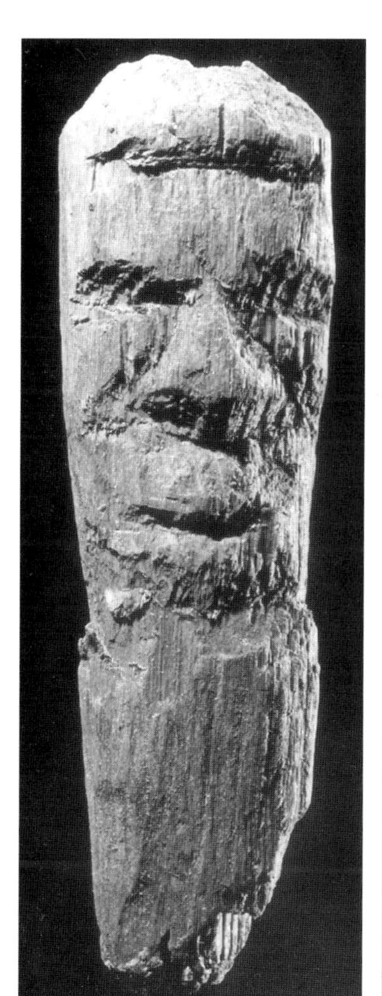

Balance arm (replica), Ellesmere Island, c. 1300 AD.
Courtesy of © Canadian Museum of Civilization, SlHq-3:4
Fléau de balance (réplique), Île d'Ellesmere, vers 1300.
Grâce au © Musée canadien des civilisations, SlHq-3:4
PHOTO: Ned Pratt

Copper amulet, northern Quebec, c. 1150 AD.
Amulets are frequently found in Late Dorset sites. This one, made from a piece of smelted sheet copper of European origin, suggests direct contact with the Vikings, or indirect trade via the Thule Inuit.
Courtesy of Archaeological Collections, Quebec Department of Culture and Communications
Amulette de cuivre, nord du Québec, vers 1150.
Les amulettes sont des trouvailles courantes dans les sites de la fin de la période de Dorset. Celle-ci, fabriquée à partir de tôle de cuivre fondu d'origine européenne, permet de supposer qu'il y a eu des contacts directs avec les Vikings ou des échanges commerciaux avec les Esquimaux Thulé.
Grâce aux Collections archéologiques du Ministère de la Culture et des Communications du Québec
PHOTO: Ned Pratt

Bronze pot fragment (replica), Devon Island, c. 1450 AD.
Courtesy of © Canadian Museum of Civilization, RbJu-1:269
Fléau de balance (réplique), Île Devon, vers 1450.
Grâce au © Musée canadien des civilisations, RbJu-1:269
PHOTO: Ned Pratt

Face carving, Skraeling Island, c. 1240 AD.
This delicate carving made on driftwood was found in the ruins of a Thule-culture winter house on Skraeling Island. Its distinctly non-Inuit features suggest that it may be a portrait of a Viking visitor.
Courtesy of © Canadian Museum of Civilization, SfFk-4:1482
Visage sculpté, Île Skraeling, vers 1240.
Cette sculpture délicate sur bois flotté a été trouvée dans les restes d'une habitation d'hiver des Esquimaux Thulé. Les traits distinctement non-Inuit du visage donnent à penser qu'il aurait pu s'agir de celui d'un visiteur viking.
Grâce au © Musée canadien des civilisations, SfFk-4:1482
Photo courtesy of/grâce à Peter Schledermann

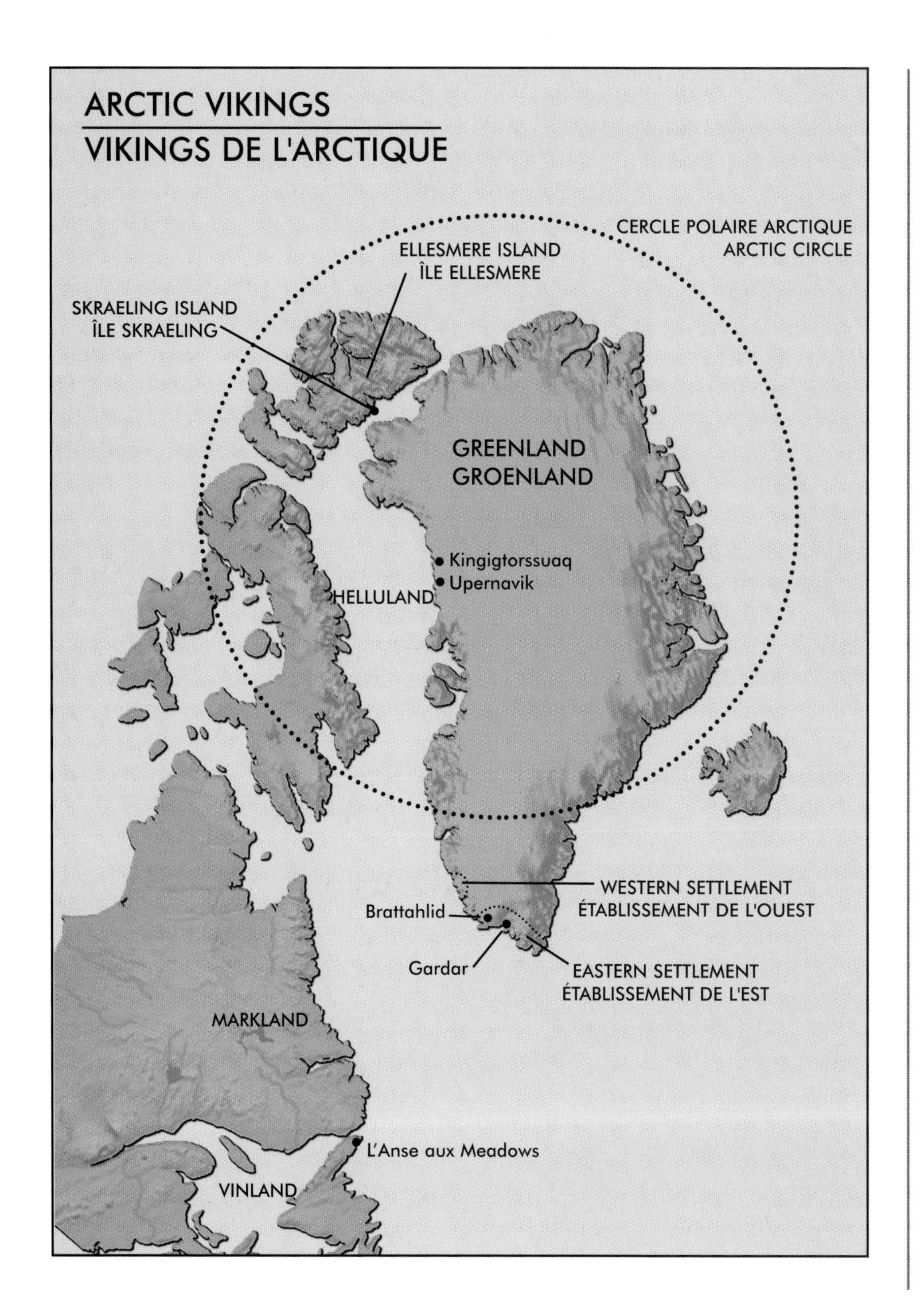

demeura fermement ancrée dans les écrits scientifiques et populaires consacrés à la préhistoire dans l'Arctique jusqu'à ce que les fouilles dans l'île Skraeling viennent confirmer l'époque estimée à l'origine par Holtved de l'occupation de l'île Ruin.

La grande quantité d'objets vikings trouvés dans les îles Skraeling et Ruin, dans la région de la baie Smith, tend à prouver que les Vikings étaient effectivement présents dans cette région très tôt dans l'interaction Vikings-Inuit. L'un des objets de fouille peut-être le plus révélateur des rencontres entre les Inuit et les Vikings dans l'île Skraeling est une petite gravure sur bois illustrant le visage d'un humain qui n'est nettement pas inuit, gravure qui est peut-être l'oeuvre de l'un des occupants inuit de la maison dans laquelle elle a été trouvée.

Des objets vikings épars ont été découverts dans l'Arctique, bien au delà de la région de la baie Smith, et notamment des morceaux de fer forgé et de fer météorique provenant de sites thuléens sur la côte ouest de la baie d'Hudson, un fragment de fer fondu et une partie d'un bol en bronze coulé provenant de l'île Devon, des morceaux de cuivre fondu et un pendentif en bronze provenant de l'île Bathurst, un fléau de balance en bronze découvert sur la côte ouest de l'île d'Ellesmere, et une figurine en bois découverte sur la côte sud de l'île de Baffin. On croit que ces objets sont arrivés dans ces lieux à la suite de contacts indirects et d'échanges entre groupes inuit, et non pas à la suite de rencontres comme telles avec les Vikings.

Des dizaines d'objets vikings provenant d'anciens sites inuit ont été découverts le long de la côte ouest du Groenland. Les fouilles effectuées par Holtved sur le site de Nûgdlît, au nord de la base militaire de Thulé, ont permis de mettre au jour deux lames en fer vikings, et les fouilles qu'il a effectuées sur le site d'Umànaq, au sud de Nûgdlît, ont permis d'exhumer sept pièces d'origine viking. Au cap Seddon, non loin de la limite sud de la baie de Melville, quatre mailles de cotte de maille et un rivet de navire ont été découverts dans les ruines d'une maison hivernale et remonteraient au début de la culture thuléenne.

L'emplacement des objets vikings trouvés sur les sites thuléens dans l'ouest du Groenland a conduit l'archéologue danois Therkel Mathiassen, en 1931, à proclamer l'existence de la phase Inugsuk dans la culture du Thulé, qui selon lui, aurait correspondu à une période riche de contacts entre les Inuit et les Vikings. Des études plus récentes ont permis de conclure qu'il existe en fait étonnamment peu de preuves de contacts directs entre les Inuit et les Vikings le long de la côte ouest du Groenland.

Pour que le troc ait incité les Vikings et les Inuit à se rencontrer, il aurait fallu que les deux groupes aient eu des articles intéressants à échanger, ce qui pourrait expliquer pourquoi il semble y avoir si peu de preuves de contact entre les deux groupes. Contre l'ivoire des Inuit, les Vikings auraient pu troquer des morceaux de fer, de bois et peut-être même quelques bibelots comme des mailles de cotte de maille et des pièces de jeu d'échecs, ce qui les aurait placés dans une position désavantageuse. Non seulement avaient-ils eux-mêmes un grand besoin de fer et de bois, mais les Inuit connaissaient déjà assez bien ces deux matériaux, puisqu'ils utilisaient le bois flotté et le fer météorique depuis leur arrivée au Groenland.

Les rencontres dans le Grand Nord entre les Vikings, les Inuit du Thulé et peut-être les Dorsétiens furent de toute évidence rares et ne se produisirent sans doute qu'une ou deux fois. Les grandes distances et les eaux dangereuses et embâcles qui séparaient les établissements vikings et la région du détroit de Smith n'étaient certainement pas propices à des voyages réguliers dans le but de faire du troc. Les objets découverts à l'île Skraeling laissent même penser qu'il ne se serait produit qu'une seule rencontre entre les Inuit et un groupe de Vikings téméraires qui se seraient aventurés vers le nord, loin de leurs territoires habituels de chasse.

The Curators

Patricia Allen
Archaeologist
New Brunswick Provincial Government

Working in cooperation with the Red Bank First Nation, Dr. Allen has conducted Mi'kmaq archaeological research along New Brunswick's Miramichi River over a 10-year period. She has chaired the Maritime Aboriginal Heritage Committee for the Canadian Archaeological Association and serves as the co-chair of the New Brunswick Maliseet Advisory Committee on Archaeology. She is currently researching an 18th-century English fishing/trading post at Nipisiguit (Bathurst), New Brunswick.

Gwynne Dyer
Historian, Journalist

Dr. Dyer has worked as a freelance print and television journalist, columnist, documentary maker, broadcaster, and lecturer on international affairs for more than 20 years. Born in Newfoundland, he has degrees from Canadian, American, and British universities, including a PhD in Military and Middle Eastern History from the University of London. Dr. Dyer's twice-weekly column is carried by 175 newspapers in 45 countries.

Kevin McAleese
Archaeologist, Curatorial Team Chairperson
Newfoundland Museum

Mr. McAleese has done archaeological research in both western and eastern Canada, particularly at 18th-century European and Aboriginal sites. He recently curated "Kimatullivik," an exhibit on Thule Inuit in Labrador, part of which travelled (1998-1999) through coastal Labrador. As the Newfoundland Museum Archaeology & Ethnology Curator, Mr. McAleese works with all the Newfoundland and Labrador Aboriginal Peoples on a variety of projects and exhibits.

Ralph T. Pastore
Professor of History
Memorial University of Newfoundland

Dr. Pastore is a member of Memorial University's Archaeology Unit as well as its History Department. His primary professional interest has been the study of the interaction between Europeans and First Nations people; for the past two decades he has researched the archaeology and history of the Beothuk.

Les conservateurs

Patricia Allen
Archéologue
Gouvernement provincial du Nouveau-Brunswick

En coopération avec la Première nation de Red Bank, Patricia Allen mène depuis dix ans des fouilles archéologiques le long de la rivière Miramichi, au Nouveau-Brunswick. Elle a présidé le Comité sur le patrimoine autochtone des Maritimes au nom de l'Association canadienne d'archéologie, et est coprésidente du Comité consultatif malécite du Nouveau-Brunswick sur l'archéologie. Elle effectue présentement des fouilles sur le site d'un poste de pêche et de traite anglais du XVIIIe siècle à Nimisiguit (Bathurst), au Nouveau-Brunswick.

Gwynne Dyer
Historien et journaliste

Depuis plus de vingt ans, Gwynne Dyer travaille à la pige pour la presse écrite et télévisée, et comme chroniqueur, réalisateur de documentaires, communicateur et conférencier sur les affaires internationales. Ce natif de Terre-Neuve a reçu des diplômes d'universités du Canada, des États-Unis et de Grande-Bretagne, y compris un doctorat en histoire militaire et en histoire du Moyen-Orient de la London University. La chronique bimensuelle de Gwynne Dyer est publiée dans 175 journaux de 45 pays.

Kevin McAleese
Archéologue, président de l'équipe de conservateurs
Newfoundland Museum

Kevin McAleese a dirigé des fouilles archéologiques dans l'ouest et l'est du Canada, notamment à des sites européens et autochtones du XVIIIe siècle. Il a récemment organisé « Kimatullivik », une exposition sur les Inuit Thulé du Labrador, dont une partie a été présentée dans diverses localités de la côte du Labrador en 1998 et 1999. À titre de conservateur de la collection archéologique et ethnologique du Newfoundland Museum, il collabore avec tous les peuples indigènes de Terre-Neuve et du Labrador dans le cadre de divers projets et expositions.

Ralph T. Pastore
Professeur d'histoire
Memorial University of Newfoundland

Ralph Pastore fait partie de l'Unité d'archéologie et du Département d'histoire de la Memorial University. Son champ de spécialisation est l'étude des relations entre les Européens et les peuples des Premières nations; depuis deux décennies, il se consacre à l'archéologie et à l'histoire des Béothuks.

M.A. Priscilla Renouf
Professor of Archaeology
Memorial University of Newfoundland

Dr. Renouf has done extensive archaeology on both sides of the North Atlantic. Her doctoral work focussed on the prehistoric archaeology of north Norway; she went on to explore the Palaeoeskimo sites at Port au Choix on the Northern Peninsula in Newfoundland. Recent work includes research on the Maritime Archaic occupation of the area and the book *Ancient Cultures, Bountiful Seas: The Story of Port au Choix.*

Peter Schledermann
Senior Research Associate
The Arctic Institute of North America

Dr. Schledermann has conducted archaeological excavations in Alaska, Canada, and Greenland since 1965. From 1977-1995, he and his research associates excavated sites pertaining to all of High Arctic prehistory on the east coast of Ellesmere Island. Excavation of Thule Inuit winter-house ruins on Skraeling Island uncovered large numbers of Norse artifacts suggesting Norse explorers were in the High Arctic in the late 13th century. His numerous publications include the books *Crossroads to Greenland* and *Voices in Stone.*

Birgitta Linderoth Wallace
Archaeologist Emeritus
Parks Canada

Dr. Wallace assisted Helge and Dr. Anne Stine Ingstad over a couple of seasons during the 1960s' excavation of the L'Anse aux Meadows Viking site. She worked on the site during the Parks Canada excavations in the 1970s — the last year as director — and has been the Parks Canada archaeologist for the site since then. She has also produced numerous publications and exhibits relating to the Viking experience in North America, and serves as a consultant on Viking-related research and educational projects throughout North America.

The exhibit's curatorial advisors also included the following individuals, whose contributions we would like to acknowledge:

Joel Berglund	Archaeological Curator, Greenland National Museum and Archives
Lilja Árnadóttir	Archaeology Curator, National Museum of Iceland
Sigrid Kaland	Senior Curator, Archaeology Department, Bergen Museum, Norway
Carin Orrling	Senior Curator and Editor-in-Chief, Museum of National Antiquities, Sweden
Jette Arneborg	Senior Curator, National Museum of Denmark

M.A. Priscilla Renouf
Professeure d'archéologie
Memorial University of Newfoundland

Priscilla Renouf a mené des recherches archéologiques approfondies des deux côtés de l'Atlantique nord. Sa thèse de doctorat a porté sur l'archéologie préhistorique du nord de la Norvège; elle a enchaîné en explorant les sites paléoesquimaux de Port au Choix, sur la péninsule Northern de Terre-Neuve. Plus récemment, elle s'est penchée sur l'occupation de cette région par les Indiens de tradition Archaïque maritime et a publié le livre *Ancient Cultures, Bountiful Seas: The Story of Port au Choix.*

Peter Schledermann
Adjoint de recherche principal
The Arctic Institute of North America

Depuis 1965, Peter Schledermann dirige des fouilles en Alaska, au Canada et au Groenland. Entre 1977 et 1995, ses associés de recherche et lui-même ont exhumé sur la côte est de l'île d'Ellesmere des sites associés à toute la préhistoire de l'Arctique. L'étude des ruines de maisons d'hiver des Inuit de la culture du Thulé, sur l'île Skraeling, a mis à jour de nombreux artefacts scandinaves, ce qui suggère que des explorateurs vikings fréquentaient l'Arctique à la fin du XIIIe siècle. Parmi les nombreuses publications de M. Schledermann, mentionnons les livres *Crossroads to Greenland* et *Voices in Stone.*

Birgitta Linderoth Wallace
Archéologue émérite
Parcs Canada

Durant les années 1960, Mme Wallace a collaboré pendant quelques saisons aux fouilles de Helge et d'Anne Stine Ingstad au site viking de L'Anse aux Meadows. Elle y a encore travaillé, au cours des années 1970, dans le cadre des fouilles menées par Parcs Canada, la dernière année à titre de directrice. Depuis ce temps, elle est l'archéologue de Parcs Canada pour cet emplacement. Elle a produit un grand nombre de publications et de documents liés à l'expérience des Vikings en Amérique du Nord, et agit comme conseillère dans le cadre de diverses recherches et projets pédagogiques axés sur les Vikings partout en Amérique du Nord.

Les conseillers de conservation suivants ont également contribué à l'exposition, dont nous tenons à souligner les contributions :

Joel Berglund	Conservateur d'archéologie, Musée national et Centres d'archives du Groenland
Lilja Árnadóttir	Conservatrice d'archéologie, Musée national d'Islande
Sigrid Kaland	Conservatrice principale, département d'archéologie, Musée de Bergen, Norvège
Carin Orrling	Conservatrice principale et rédactrice en chef, Statens Historiska Museum, Suède
Jette Arneborg	Conservatrice principale, Nationalmusee, Danemark

More to Read
Autres lectures

The Vikings (Les Vikings)

Bigelow, Gerald F., ed. *The Norse in the North Atlantic Conference*. Acta Archaelogica, vol. 51. Copenhagen: Munksgaard, 1991

Clausen, Birthe L. *The Viking Voyages to North America.* Roskilde (Denmark): The Viking Ship Museum, 1993

Foote, Peter G. and David M. Wilson. *The Viking Achievement: A Survey of the Society and Culture of Early Medieval Scandinavia*. New York: Praeger Publishers, 1970

Haywood, John. *The Penguin Historical Atlas of the Vikings*. London: Viking, 1995

Ingstad, Helge. *Land Under the Pole Star: A Voyage to the Norse Settlements of Greenland and the Saga of the People that Vanished.* London: Jonathan Cape, 1966

Ingstad, Anne Stine. *The Norse Discovery of America.* Oslo: Norwegian University Press, 1985

Ingstad, Anne Stine. *The Discovery of a Norse Settlement in America: Excavations at L'Anse aux Meadows, Newfoundland, 1961-1968.* Oslo: Universitetsforlaget, 1977

Jones, Gwyn. *A History of the Vikings*, 2nd ed. New York: Oxford University Press, 1984

Jones, Gwyn. *The Norse Atlantic Saga: Being the Norse Voyages of Discovery and Settlement to Iceland, Greenland, and North America.* New York: Oxford University Press, 1986

Krogh, Knud J. *Viking Greenland.* Copenhagen: The National Museum, 1985

Lynnerup, Niels. *The Greenland Norse: A Biological-anthropological Study.* Man & Society Series #24. Copenhagen: The Commission for Scientific Research in Greenland, 1998

Morris, Christopher D. and D. James Rackham. *Norse and Later Settlement in the North Atlantic.* Glasgow: University of Glasgow, 1992

Munn, W.A. *Wineland Voyages: Location of Helluland, Markland and Vinland.* St. John's: Newfoundland Historic Parks, 1997

Orrling, Carin. *Vikings*. Stockholm: The Swedish Institute, 1997

Pulsiano, Phillip and Kirsten Wolf, eds. *Medieval Scandinavia: An Encyclopedia*. New York: Garland Publishing, 1993

Schledermann, Peter. *The Viking Saga.* London: The Orion Publishing Group, 1997

Seaver, Kirsten A., *The Frozen Echo: Greenland and the Exploration of North America*. Stanford: Stanford University Press, 1996

Fiction (Oeuvre d'imagination)

Clark, Joan. *Eiriksdottir.* Toronto: Penguin, 1995

Iron spearhead, Norway, c. 1000 AD.
Courtesy of Bergen Museum, University of Bergen, Norway
Pointe de lance en fer, Norvège, vers l'an 1000.
Grâce au Musée de Bergen, université de Bergen, Norvège
PHOTO: M. Vabø

Aboriginal Peoples (Les Autochtones)

Allen, Patricia. *Metepenagiag: New Brunswick's Oldest Village,* 2nd ed. Sackville, NB: Tribune Press, 1994

Arneborg, Jette and Hans Christian Gulløv, eds. *Man, Culture and Environment in Ancient Greenland.* Copenhagen: The Danish Polar Centre/Danish National Museum, 1998

Bandi, Hans-Georg (Ann E. Keep, translator). *Eskimo Prehistory.* College (Alaska): University of Alaska Press, 1972

Desbarats, Peter, ed. *What They Used to Tell About: Indian Legends from Labrador.* Toronto: McLelland and Stewart, 1969

Mailhot, José. *The People of Sheshatshit: In the Land of the Innu.* St. John's: Institute of Social and Economic Research, 1997

McCullough, Karen M. *The Ruin Islanders: Early Thule-culture Pioneers in the Eastern High Arctic.* Mercury Series, No. 141. Hull: Canadian Museum of Civilization, 1989

McGhee, Robert. *Ancient People of the Arctic.* Vancouver: UBC Press, 1996

Morrison, David and Jean-Luc Pilon, eds. *Threads of Arctic Prehistory: Papers in Honour of William E. Taylor, Jr.* Hull: Canadian Museum of Civilization, 1994

Renouf, M.A.P. *Ancient Cultures, Bountiful Seas: The Story of Port au Choix.* St. John's: Historic Sites Association of Newfoundland & Labrador, 1999

Schledermann, Peter. *Voices in Stone: A Personal Journey into the Arctic Past.* Komatik Series, No. 5. Calgary: The Arctic Institute of North America (University of Calgary), 1996

Sturtevant, William C., ed. *Handbook of North American Indians,* Volume 5, Arctic. (Volume editor David Damas). Washington: Smithsonian Institution, 1984

Tuck, James A. *Ancient People of Port au Choix.* St. John's: Institute of Social and Economic Research (MUN), 1976

Whitehead, Ruth Holmes. *Elitekey: Micmac Material Culture from 1600 AD to the Present.* Halifax: The Nova Scotia Museum, 1980

Fiction (Oeuvre d'imagination)

Schledermann, Peter. *Raven's Saga.* Calgary: Corvus Press, 2000

Ivory carvings, northern Labrador, c. 1900 AD. Following sustained contact with Europeans, Inuit carvers gained new tools and markets. They recorded their changing way of life in miniature, though some modern carvers now work on a larger scale.
Sculpture en ivoire, nord du Labrador, vers 1900. De leurs contacts réguliers avec les Européens, les sculpteurs inuit ont obtenu des outils et des marchés nouveaux. Ils ont d'abord représenté en petits formats les changements subis par leur mode de vie, mais certains sculpteurs modernes travaillent maintenant à plus grande échelle.
Courtesy of/Grâce à Newfoundland Museum
PHOTO: Ned Pratt